아무도 알려주지 않는 고조선 이야기

대한민국 원형 고조선의 진실을 말한다

한기덕

한기덕

자연을 벗삼고, 자유를 추구하며 스스로 자립하는 공간 속에서 책을 읽고 글을 쓴다는 것은 나의 꿈이었다. 그 꿈을 실현하기 위해 시골에 귀촌했다. 도시를 갓 탈출하여 한적한 시골 공간 속으로 오니 여유로움과 편안함을 느끼며 깊은 사유를 즐길 수 있어 좋다. 불안, 초조한 도시속에서 나와, 여유,한적함, 느림, 쉼의 분위기는 나의 마음을 한껏 만족감을 높여주어 꿈을 실현하는 데 안성맞춤이다. 맑은 공기, 푸른 숲, 자연의 힘은, 물욕과 소유욕에 집착하며 욕망을 접지 못하고 방황한 나를 순화시키며 치유해준다. 삶은 무엇이고 어떻게 살 것인가? 자문하며 정진중이다. 첫 번째 책《나는 책으로 똑똑해진다》는 두서 없는 마음으로 출간하다 보니 아쉬움이 많이 남았다. 이번에 출간하는 책은 그나마 여유로움 속에서 나오는 책이라 조금은 똑똑해졌다고 볼 수 있겠다.

아무도 알려주지 않는 고조선 이야기

대한민국 원형 고조선의 진실을 말한다

한기덕 지음

나는 왜 지금 고조선을 말하는가

역사를 공부하는 것은 과거를 올바르게 인식하면서 현실을 바로 보고 그것을 바탕으로 하여 밝은 미래를 설계하기 위한 것이다. 우리 민족이 미래에 영광을 누리기 위해서는 지금 무엇을 해야 할 것인지 언제나 깊이 생각하면서, 우리 사회나 우리 의식의 문제점을 지적도 하고 우리 사회를 더 건강하고 건전한 사회로 만들어야겠다. 즉, 더불어 행복한 사회를 만들자는 뜻이다. 그런데 그동안 학교 교육에서는 역사가 중요하다고 말을 하면서도 한국 역사의 원형이라 할 수 있는 고조선의 역사를 자세하게 가르치지 못했다. 고조선의 연구가 부족했기 때문이다. 고조선에 관한 이해의 부족이나 혼란을 그대로 두고는 우리 역사를 바로 알 수가 없다. 고조선에 대한 이해는 우리 민족에게 매우 중요한 의미가 있다.

특히 오늘날의 시점에서는 그 의미는 더욱 크다고 말할 수 있다. 우리 민족의 운명이 걸려있다고 봐도 과언이 아닐 것이다. 중국과의 사대관계와 일제강점기 시대에 조작된 역사관을 바로잡고 왜곡된 역사관을 복원해서 우리 후손들이 이 땅에서 자부심을 가지고 살아갈 수 있게 만들어야 할 것이다. 우리 역사의 진실을 찾는 것은 우리의 미래와 직결되는 일이고 진정한 민주주의를 성취하는 데 큰 디딤돌이 될 것이다. 하지만 각자의 책임을 자각하고 노력하는데 달려있기 때문에 쉽게 성취될 일은 아닌듯싶다.

따라서 고조선에 대한 올바른 이해 없이는 우리 민족 본래의 모습을 알 수가 없을 뿐만 아니라 어떠한 변화를 거쳐 오늘의 모습에 이르렀는지도 정확하게 알 수 없다.

우리는 우리 자신을 알 필요가 있다. 우리 자신을 바로 알지 못하면 남도 바로 알 수 없다. 그렇게 되면 인류의 미래를 논할 자격이 없을 것이다. 선진국으로서 세계 중심 국가가 되기 위해서는 목청만 높인다고 되는 일은 아니고 구체적인 준비가 있어야 되겠다. 자기 자신을 직시하지 못하면서 인류사회의 중심국, 선진국으로서 세계사의 주역이 될 수 있을까? 그러려면 능력과 거기에 합당한 철학과 가치관을 가지고 있어야 한다. 현실은 어렵다는 것을 안다. 하지만 언젠가는 되겠지 하는 안이한 생각을 가지고 살아가는 삶의 자세도 바람직하지 않다. 우리 역사의 잘못을 반복하는 일이 없으려면 고조선에 대한 올바른 인식으로부터 시작하는 것이 최선의 방법이라고 생각한다. 왜냐하면 고조선의 역사부터 시작하여 하나하나 공부하다 보면 우리 민족의 삶 속에 역경과, 고난과, 극복을 알아가는 과정에서 우리들의 올바른 역사관과 뚜렷한 가치관이 정립이 되기 때문이다.

후세의 韓人들이 최고의 조상으로 받들어 오고 있는 고조선의 開國子(개국자) 단군은 실존했던 인물이다. 단군의 고조선 개국을 우리 역사의 출발점으로 보는 필자의 역사관은 윤내현 교수의 생각과 그 뜻에 공감한다. 윤내현 교수의 《고조선 연구》는 지금도 명저라고 생각하지만 후에는 고전으로 길이 남을 책임을 자신한다. 그리고 한국 역사에 고대사는 물론, 근대사와 현대사도 왜곡된 것과 착오된 것이 많아서 반드시 복원해야만 우리 후손들이 정확하고 진실한 역사를 알 수가 있을 것이다. 그러므로 후손들이 자부심과 새 기운을 얻을 수가 있는 것이다. 우리 역사의 진실을 찾는 일은 우리의 장래와 인류 평화를 실현하려는 한민족의 홍익인간 정신과 부합하는 일이라 확신한다.

아무도 알려주지 않는 고조선 이야기

만주, 연해주, 한반도 등에서 끈질긴 독립운동과 불굴의 저항 정신은 결국 광복을 이루어냈다. 하지만 반쪽의 광복임을 잊지 말아야 한다는 것은 우리에게는 비극이 아닐 수 없다. 고조선, 고구려의 광대한 정신과 야망은 우리 가슴에 박혀 면면히 이어져 오고 있다는 것도 잊으면 안 될 것이다. 나라를 팔아먹은 매국노, 친일부역자는 죽을 때까지 응징하여 두 번 다시 이 땅에서 그런 비극은 되풀이되지 않아야겠다. 그것이 우리 후손들이 할 일이다. 사회가 사회답고, 민족이 민족답게 존재하려면 자신에 대한 자각, 민족에 대한 자각이 투철해야 한다. 역사에서 진보의 동력은 주체의 정체성, 자아의식에서부터 나온다. 굳건한 정체성이야말로 사회를 밝게 하고 민족과 역사를 진보시키는 동력임을 명심하여, 세상을 법치와 공정이 살아있는 정의로운 사회를 만들어야 한다. 우리에게 주어진 과제다.

시련과 고난은 있어 왔지만 절망과 좌절은 없었다. 우리 민족에게는 그랬다. 지금 대한민국이 방향을 잃고 기울고 있다. 유구한 역사를 자랑하는 한민족이 절망과 좌절의 길을 가면 되겠는가. 다 같이 힘을 내어 이 상황을 극복하고 다시금 재도약할 수 있는 대한민국을 만들자. 우리는 지금 역사를 쓰고 있다.

차례

제 1 장
고조선 이야기

1. 고대 국가의 출현

한반도와 만주를 아우르는 최초의 국가는 우리 민족이 세운 고조선이다. 고조선이 국가로 성장하기까지는 오랜 세월이 필요했다. 고조선 초기부터 국가형태의 틀을 갖고 시작한 것은 아니고 보통의 사회 발전 경로 단계를 거쳐 국가사회로 성장한 것이다. 즉, 무리사회(구석기시대)를 거쳐 마을사회(신석기시대)를 이루고 마을들이 모여 구성한 마을연맹체사회가 강한 마을연맹체에 복속되어 이루어지게 되는 사회를 국가사회라 부른다. 이 시기에는 인구와 영역이 크게 확대되어 강한 정치권력이 등장한다.

국가단계는 이전 단계의 사회에 있었던 요소들이 그대로 계승되면서도 이전 단계의 사회와는 다른 주요한 특징이 나타난다. 혈연적 관계는 무너지고 그것이 지역적 결속에 의해 대체되고 법이 출현하여 합법적인 권력을 갖게 된다는 것이다. 그런데 그 당시 법의 존재 여부는 기록이 남아 있지 않으면 확인할 길이 없다. 그러나 일반적으로 세계 어느 지역이든 청동기시대는 대체로 국가사회였다는 것이 확인되었으므로 고고학적으로 청동기 문화 단계에 있으면 그 사회를 국가 사회로 보는 일반론을 따르게 된다.

고조선은 청동기 시대였고 '범금팔조(犯禁八條)'라는 법이 존재했으므로 국가사회라는 데는 의문의 여지가 없다. 고조선이 등장하면서 "한반도와 만주의 각 지역에 거주했던 사람들은 같은 나라 안에서 서로 교류하고 문화를 공유하며 하나의 정치 공동체에 포함되는 귀속의식을 갖게 되었다. 이로써 한민족이 형성된 것이다. 한민족의 출현은 진정한 한국사의 출발점이 된다. 고조선의 사회와 문화는 한민족의 사회와 문화의 원형으로서 후대 한국 전통사회와 문화의 기초와 주류를 이룬다."《한국고대사》윤내현 68쪽.

고조선은 단군에 의해 통치되었으므로 단군조선이라고도 하며, 《삼국유사》와 《제왕운기》에 의하면 서기전 2333년에 단군왕검에 의해 건국되었다. 단군은 사람들이 오해하고 잘 모르는 부분이 있던데 사람 이름이 아니고 칭호인 것이다. 이름은 왕검이다. 두 책은 고려 후기에 쓰였다. 그 내용이 너무 간략하여 의심을 하는 학자들이 있다. 그러나 근래에는 고조선에 관한 연구가 진전되어 《삼국유사》의 내용의 기록이 상당히 신빙성이 있는 것으로 밝혀지고 있다.

국가사회가 그 이전 단계인 마을사회와 다른 점은 법이 존재했다는 것이다. 그 법의 존재 여부가 증명되어야 하는데 다행히도 중국 문헌에 그 기록이 남아있다는 것을 확인했다.《한서漢書》<지리지地理志>는 서주西周 초에 기자箕子가 조선으로 망명했을 때 고조선에는 이미 '범금팔조'라는 법이 있었다고 전하면서, 살인, 상해, 절도에 관한 처벌 규정을 소개하고 있다. 살인을 한 자는 사형에 처하고, 상해를 입힌 자는 곡물로써 배상하며, 남의 물건을 도적질 한 자는 그 주인의 노예가 되는 것이 원칙이지만 죄를 면하려면 50만전을 물어야 한다고 했다.(《한서》권 28 <지리지> 제8 하.)

고조선에 법이 있었다는 것이 증명되었다는 사실은 고조선이 국가사회 단계에 있었음을 보여준다. 기자(기자는 상 왕실의 후예로서 상商이 주족(周族)에게 멸망하자 동북 변경 지역으로 이주했는데, 상과 주가 교체된 시기는 서기전 12세기경이었다)는 서기전 1100년경의 사람이므로 서기전 1100년경에 고조선은 이미 국가사회 단계에 있음을 말해주고 있는 것이다. 이때부터 법이 있었다면 그 이전부터 법이 존재했다는 추론도 가능하지만 그것을 입증할 만한 기록은 발견이 안되고 있어 언제부터 있었는지는 알 수가 없다. 하지만 우리가 지속적으로 연구를 한다면 충분히 입증할 만한 성과가 있을 거라는 기대는 하고 있다.

청동기시대는 일반적으로 국가사회 단계에 있었다. 그렇다면 한민족의 청동기문화 시작은 언제부터였을까? 일제 식민사학자들은 한민족의 청동기 시작을 서기전 1000년경부터 서기전 700년경으로 보았다. 그렇다면 서기전 2333년이라는 고조선의 건국 연대는 믿을 수 없게 된다. 이 연대는 비파형동검에 따른 것이다. 이 근거는 다소 무리가 있어 보인다. 비파형동검은 한반도에서 매우 발달한 청동기다. 근래에는 고고학적 발굴 연구 결과에 의하면, 만주 지역에서 가장 이른 청동기문화인 하가점夏家店 하층문화는 서기전 2410년으로 확인되었다. 《한국고대사》윤내현 재인용.p78

한반도의 청동기문화 유적인 경기도 양평군 양수리 고인돌과 전라남도 영암군 장천리 집자리는 서기전 2500~2400년경의 것으로 확인되었다. 서기전 2500년경에 시작된 청동기문화는 서기전 1000년경에는 비파형동검 단계로 발전했던 것이다. 이 유물로만 보더라도 한민족의 청동기문화 개시 연대는《삼국유사》와《제왕운기》에 기록된 단군왕검의 고조선 건국 연대보다 다소 앞섰음을 알 수 있다. 이것은 청동기시대에 국가사회 단계로 진입한다는 일반론과 일치함을 알 수 있다.

고조선의 건국 연대에 관한 두 책은 과학적인 근거를 갖게 된다. 고조선이 건국됨으로써 한반도와 만주의 거주민들이 동일한 정치공동체와 문화공동체의 구성원으로서 집단 귀속의식을 갖게 되면서 한민족이 출현했던 것이다.

2. 민족 신화의 이해

어느 민족이고 자신들의 민족신화를 가지고 있다. 신화는 일정한 집단에 의해 역사적으로 전승되며 형성되는 공동체 이야기이다. 그래서 신화 없는 민족은 존재할 수가 없다. 자연히 신화는 전승자들의 집단적 무의식과 그 민족문화의 원형을 갖고 있는 보물창고와 같은 구실을 한다. 한 민족문화의 원형질이자 민족문화의 축소형이기 때문에 그 민족만이 가질 수 있는 우주자연에 관한 이해와 역사문화에 대한 경험이 농축되어 있는 것이다. 신화 속에 농축되어 담겨있는 내용을 잘 풀어내면 알려지지 않은 민족사의 비밀을 밝혀 낼 수 있다. 사라져버린 고대문화의 본래 모습을 체계적으로 재해석할 수도 있다. 어느 시대 어느 민족이던지 자기 고유의 신화를 전승하지 않은 민족은 없다. 한 민족이 전승하는 신화는 그 자체로 민족문화의 귀중한 자산이면서 그 민족의 정체성을 보여주는 거울과 같은 구실을 한다.

"한민족도 '단군신화'를 가지고 있다. 고대의 건국신화는 단순히 꾸며진 이야기가 아니라 그 민족의 종교관, 세계관 등의 사상과 역사적 체험이 결합되어 만들어진다. 그러한 요소들이 시간과 공간을 초월하여 신들의 이야기로 상징되어 표현된 것이 신화인 것이다." 《새로운 한국사》 윤내현. p61. 일반적으로 고대사회에서 경험되는 신화에는 초자연적 존재자의 행위의 역사를 구성한다. 이 역사는 실재에 관련되고 있기 때문에 절대적으로 진실하며 초자연적 존재자의 위업이기 때문에 신성하기까지 하다. 그리고 신화는 창조에 관련되어 있어서 그것은 사물이 어떻게 존재하게 되었는가. 혹은 행동의 행태· 제도· 노동 방식이 어떻게 이루어졌는가를 말해준다. 이 때문에 신화는 모든 중요한 인간 행위의 모범이 되는 이유가 된다.

인간이 신화를 앎으로서 인간은 사물의 기원을 알고, 그렇게 함으로써 그것을 자기 의지대로 통제, 조작할 수 있게 된다. 이 지식은 외면적이고 추상적인 지식이 아니고 실재에서 경험과 비종교적인 체험에서 경험되는 지식이다. 신화는 허구가 아닌 것이다. 인간은 어떤 방법으로든지 신화 속에 살고 있는 것이다. 신화의 일반적인 특성을 이해한다면 신화 속에는 인간의 앎과, 인간의 형성과 발전에 관한 정보를 담고 있다는 사실을 인정할 수 있을 것이다.

아무도 알려주지 않는 고조선 이야기

단군신화 속에는 한민족의 역사적 체험과 사상이 들어있는 것이다. ≪삼국유사≫에 실린 단군신화는(≪三國遺事≫ 卷 1, ≪紀異≫ <古朝鮮>) 현재로는 고조선에 관한 자료가 많이 부족한 형편인지라 단군신화에 의존할 수밖에 없다. 그렇다고 단군신화를 허구이고 가공한 것으로 치부하면 그 속에 담고 있는 한민족의 고유정보와 고조선의 초기 국가 형성이나 요인을 찾을 수가 없는 것이다. 단군신화는 한민족의 역사적 체험을 전해주고 있다. 신화에는 시간이 압축되어 있기 때문에 그것을 확장하여 시대를 구분해 보면 "환인시대인 무리사회 단계, 환웅시대인 마을 사회단계, 환웅과 곰녀의 결혼시대인 마을연맹체 사회단계, 단군시대인 국가 사회(고조선) 단계 등 한민족의 역사적 체험, 즉 인류 사회 초기의 발전과정을 그대로 담고 있다."≪새로운 한국사 ≫윤내현 외2. 집문당.P63.

지난날 일부 학자들은 단군신화가 고려 후기에 편찬된 ≪삼국유사≫와 ≪제왕운기≫에 실린 것을 들어 고려 시대에 꾸며진 이야기일 것이라고 주장하지만 단군신화의 내용은 후대에 꾸며진 이야기가 아니라 한민족이 체험한 역사적 사실을 토대로 하고 있음을 알 수 있고, 이는 단군신화가 사료로서 높은 가치를 지니고 있음도 알게 해준다. 단군신화는 고대 한민족의 종교와 사상에 대한 정보도 전해주고 있다. 일본 식민사학자들은 고조선이 멸망하고 1,300년이나 지난 후에 이 책들이 쓰여진 것이라 하여 후대에 만들어진 가공적인 이야기일 것이라고 주장한다. 몽골의 침략을 받아 참담해진 고려 사람들이 민족 구심점을 만들고 민족의식을 고취하기 위하여 고조선(단군신화)에 관한 내용을 꾸며 냈을 것이라고 주장하고 있다.

이런 주장을 하는 이유는 학문적인 것보다는 정치적이다. "단군신화는 고조선이 국가체제를 갖추었을 때 지배세력이 자신들의 지배를 합리화하기 위해 만들어낸 건국신화이기 때문이다. 지금까지 많은 연구를 통해 단군신화는 고조선의 지배자들이 자신들의 지배를 정당화하고 신성한 것으로 만들기 위해 고대의 신화요소를 빌려 만들어낸 지배 이데올로기임이 입증되었다. 따라서 단군조선은 신화일 뿐 역사적 사실로서 그 증거를 찾는다는 것은 사실상 불가능하다." ≪한국고대사 속의 고조선사≫ 송호정, 2003, P63~64.

위 내용으로 봐서 신화 속에 담겨 있는 역사 읽기라는 연구는 할 생각도 안 하는 실증사학의 한계이고, 학문을 함에 있어 내 것만이 옳다는 그런 편협적인 사고방식은 학문 연구에는 방해만 될 뿐이다. 다양한 분야를 경험하고 보다 더 넓은 사고방식

아무도 알려주지 않는 고조선 이야기

을 갖고 학문을 연구해야 발전하는 것이다. 선배들의 학문만을 쫓아 그대로 따라 한다는 것은 개인뿐 아니라 국가 발전에도 도움이 되지 않는다. 한국 주류식민사학은, 일본이 근대 학문을 수입하는 데 있어서 역사학은 독일의 랑케의 실증사학(제국주의의 논리)을 도입한다. 일본은 식민지를 개척하는 데 있어서 실증사학을 많이 이용하는데, 각 민족의 신화는 전부 허구라 하며 그 민족을 미개하고 열등한 것으로 치부해왔다.

일본인들 중 대표적인 식민역사학자는 시라도리, 이케우지, 이마니시 류 등인데 이들은 1920년대까지 활발히 활동했다. 1930년대부터는 한국인 학자들이 이들의 사상을 전수하여 실증사학을 주도적으로 이끌게 된다. 이병도, 이상백, 김상기 등이 대표적 학자들이다. 조선총독부 산하 <조선사 편찬회>에서 "조선반도사" 편찬 작업에 참여했으며 이로 인해 오늘날까지도 비난을 받고 있는 이병도는 대표적인 한국 식민사학의 대부격이다. 일인(日人)들의 영향을 받아 뼛속까지 일본인 추종자이기 때문에 ≪친일인명사전≫ 명부에 이름을 올리기도 했다.

해방 후 그의 제자들에게 그대로 전수되어 오늘날 한국고대사에 크게 영향을 미치고 있다. 하지만 그들의 생각과는 달리 단군신화는 "역사적 가치와 의미는 신화 형성 시기의 정보를 담고 있다는 점에 못지않게, 그것이 민족의 정체감을 확립하여 주는 상징적 근대의 기능을 한다는 데 있다. 한 민족의 이웃 민족과 구별되는 독자적인 단위체라는 인식을 갖게 된 것은 매우 오래전의 일이다. 아득한 옛날부터 그러한 생각을 갖게 되었다는 점을 단군신화가 말해주는 것이다."《단군 그 이해와 자료》<단군신화와 한민족의 역사>윤이흠.2001. P23~24. 신화라는 말이 역사의 사실이 아닌 것처럼 오해할 수도 있어 이제부터는 단군사화(壇君史話)라고 부르기로 한다.

단군사화는 어떻게 읽어내느냐에 따라 많은 정보를 얻을 수 있는 보물창고인 것이다. 건국(시조) 사화를 통하여 초기 국가의 조정, 지방조직, 지배세력, 신분제 등을 알 수가 있다. 그래서 초기국가에 대한 역사를 올바르게 해석하지 않는다면 그 이후의 역사도 제대로 밝힐 수 없는 것이다. 단군사화를 분석해 보면 한반도와 만주지방에 사람이 출현한 후, 단군왕검이 고조선을 건국하기까지의 전 기간을 알 수가 있는 것이다. 단군사화는 우리 민족의 성장과정과 역사적 체험, 종교, 사상, 의약 등에 관한 정보를 종합적으로 담고 있는 민족사화(民族史話)인 것이다.

아무도 알려주지 않는 고조선 이야기

(1) 단군은 누구이며 실제로 존재했는가

단군은 어떤 사람이며 누구인가? 이 질문에 대한 대답은 사람마다 다를 것이다. 우리는 단군에 대해 잘 알고 있다고 생각하지만 사실은 그렇지 못하다. 단군이라는 명칭만을 잘 알고 있을 뿐이다. 단군이 실존 인물이었는지조차 의문을 품고 있는 사람도 있을 것이다. 반면에 단군을 신으로 생각하는 사람들도 있다.

<삼국유사(三國遺事)>와 <제왕운기(帝王韻紀)>에 단군은 후에 산신(山神)이 되었다고 한 기록이 단군은 사람이 아니라 신이었다고 생각하는 근거가 되고 있다. 그러나 이것은 처음부터 神이었다는 뜻이 아니라 사람에게는 영혼이 있어서 누구나 죽으면 신이 된다고 믿었던 고대인들의 생각이 반영된 것이다. 단군을 神으로 받드는 종교도 아마 단군을 사람이 아닌 신이었다고 믿기보다는 그가 사망한 후에 신이 되었다고 믿을 것이다.

그런데 단군이 사망한 후 신이 되었느냐 그러지 않았느냐 하는 문제는 종교에서 다룰 문제다. 역사학에서 다루는 단군은

사망 후의 단군을 말하는 것이 아니다. 살아서 사람으로 있을 때의 단군을 말하는 것이다. 그러므로 역사에서 다루는 단군과 일부 종교에서 숭배하는 단군은 의미가 다르다.

흔히 사람들은 단군을 개인의 이름으로 알고있다. 그런 사람들은 단군과 고조선의 존재에 대해 의문을 갖게 된다. 고조선은 서기전 2333년에 건국되어 2300여 년간 존속했다고 하는데 한 사람이 그렇게 오랫동안 통치했다는 것은 불가능하기 때문이다. 우리가 단군에 대해 이상과 같은 생각을 갖고 있다는 것은 우리 역사에 대해 얼마나 무지한가를 말해준다. 그렇게 생각하는 사람이 많지 않다고 하더라도 그것은 부끄러운 일이다.

고조선의 통치자였던 단군에 대한 인식이 불확실하다면 고조선에 대한 이해도 바를 수가 없다. 고조선에 대한 이해가 바르지 못하면 우리 역사 전체에 대한 이해를 바르게 할 수 없는 것이다. 단군은 신이나 개인의 이름이 아니라 고조선 통치자에 대한 칭호였다. 오늘날의 대통령이라는 칭호와 비슷한 것이다. 중국 칭호인 왕이라는 말이 우리나라에 들어오기 전에 우리 조상들은 통치자를 단군 또는 한이라 불렀다. 통치자에 대한 순수한 우리 칭호였던 것이다.

중국에서는 최고 통치자를 천자나 왕 또는 황제라고 불렀다. 단군은 천자에 해당하는 말이었고 한은 왕이나 황제에 해당하는 말이었다. 중국에서 천자라는 칭호가 고대 중국인들이 받들었던 최고神인 하느님의 아들이라는 뜻 이듯이, 단군은 고조선의 최고神인 하느님의 아들 또는 하느님을 받드는 종교의 지도자라는 의미였다. 따라서 단군은 종교적인 의미가 강한 명칭이다. 반면에 한은 중국에서의 왕이나 황제처럼 정치적 의미만을 지닌 명칭이었다.

그런데 고대사회에서는 종교가 정치 위에 있었으므로 단군이 한보다 권위를 지닌 명칭이었다. 단군은 통치자의 칭호였기 때문에 고조선에는 적어도 수십 명의 단군이 있었다. 그러나 ≪삼국유사≫에는 고조선을 건국한 단군왕검 한 사람 이름만 기록되어 있다. 반면에 ≪규원사화≫, ≪단기고사≫, ≪환단고기≫의 <단기세기> 등에는 47명의 단군 이름이 기록되어 있다.

그러나 ≪규원사화≫나 ≪단기고기≫, ≪환단고기≫ 등은 저작 시기와 책들이 세상에 알려진지 오래지 않으며 서지학적인 검토도 충분하게 이루어지지 않은 상태다. 그러므로 강단 사학계에서는 그내용을 인정하지 않으려는 경향이 있다. 이 책들에 기록된 단군의 이름들이 옳은지 그렇지 않은지를 확인하는 것은 현재로서는 불가능하다. 그러나 고조선 시대에 수십 명의 단군이 있었을 것이라는 점은 분명하다.

왜냐하면 고조선 2300여 년간 한 사람의 단군이 통치할 수는 없었을 것이기 때문이다. 지금도 고조선은 국가가 아니었거나 중기(서기전 300년이나 서기전 1000년) 이후에나 국가 단계의 사회에 들어섰을 것으로 보는 학자들이 있다. 이런 생각은 연구가 부족했던 지난날의 학문 영향을 받은것이다. 이제는 일제 식민사학자들의 식민사관을 버리고 진실과 사실을 받아들여야 할 것이다.

(<고조선,우리 역사의 탄생>윤내현. 본문중에서)

(2) 단군조선 연구

"단군 신화는 고조선이 국가 체제를 갖추었을 때 지배 세력이 자신들의 지배를 합리화하기 위해 만들어 낸 건국 신화이기 때문이다. 지금까지 많은 연구를 통해 단군 신화는 고조선의 지배자들이 자신들의 지배를 정당하고 신성한 것으로 만들기 위해 고대 신화의 요소를 빌려 만들어 낸 지배 이데올로기임이 입증되었다. 따라서 단군 조선은 단지 신화일 뿐 역사적 사실로서 그 증거를 찾는다는 것은 사실상 불가능하다." 송호정《한국고대사 속의 고조선사》, p63-64

위 내용으로 봐서 신화 속에 담겨있는 역사 읽기라는 작업은 할 생각도 안 하는 식민사관의 한계이고, 학문을 외발로 걷는 사람과 같이 한 쪽으로만 뒤뚱거리면서 걷는 모습이다.

눈에 보이는 것 만이 세상의 존재가 아닌 것이다. 눈에 보이지 않는 것도, 세상과 우주의 일부이다. 과학이 전부는 아니며, 사실과 인식 타당한 것 만이 학문과 세상의 전부가 아니라는 것이다. 내 것만이 옳다는 그런 편협한 사고방식은 학문 연구에는 독약이다. 다양한 분야를 경험하고 보다 더 넓은 사고방식을 갖고 학문을 연구해야 발전하는 것이다. 그러지 않으면 사이비교를 믿는 광신도에 지나지 않는다. 그런 광적인 집단들은 사회에 도움이 안 되고 물의를 일으킨다. 학문 장애인이 되지 않으려면 하루빨리 식민사관에서 벗어나 다양하고 다채로운 학문을 하면서 개인과 국가 발전에 도움이 됐으면 한다.

단군신화는 고조선의 건국신화(시조 신화)이다. 단군신화를 이해하려면 신화가 가지고 있는 일반적인 특성을 고려한다면 허구라고만 이야기할 수가 없을 것이다. 신화는 구전을 통해서 성장하고 발전한다. 성장, 발전과정에서 후대인의 필요에 따라 그 내용과 양식이 변형되기도 한다.

건국신화는 결국에 건국 초기 각 부족 간의 정치투쟁에서 살아남은 사람들의 이야기가 자리를 잡게된다. 역사에서도 승리자의 입맛에 따라 역사가 쓰여지듯이 말이다.

단군신화에서 천상세계(환인, 환웅)와 지상세계(곰, 범)를 부정하며 허황된 이야기라고 생각하면 안 된다. 천상세계는 (환인, 환웅)으로 상징된 집단이 살았던 지역이고, 지상 세력은 (곰, 범)으로 상징된 집단이 살았던 지역이다.

천상의 환웅과 지상의 곰과 결합으로 인해 단군이 탄생한다. 단군은 우리 민족의 최초 국가인 고조선을 세우신 분이다. 단군은 이름이 아니고 호칭이다. 임금, 황제처럼 우리 민족의 최고 수장을 부르는 호칭이라는 말이다.

이 정도의 지식을 갖고 있으면 고조선의 초기 국가 형성을 이해하는데 많은 도움이 될 것으로 생각한다. 곰이 웅녀로 변하고, 환웅이 사람으로 변하고 하니 허구라고 생각하면 안 된다. 이것은 그 당시에 발생한 어떤 사건을 상징적으로 표현 한 것이기 때문이다.

단군의 지배 기간이나 수명에 관해서도 역사적인 시간이 아니고 신화 속의 시간이다. 한 사람의 지배가, 수명이 1천9백8세를 살수 있으며 1천5백 년 동안이나 한 나라를 지배할 수 있겠는가. 신화 속에서의 시간을 역사적인 시간으로 전환해야 한다.

수십 명의 단군이 지배했으며, 수명(생명) 역시 마찬가지다. 이와 같은 신화의 일반적인 특성을 이해하고 나면 건국신화 속에는 많은 소중한 정보를 담고 있다는 것을 알게될 것이다. 이런 학문적 영역의 폭을 넓히지 않는다면 항상 우물 안의 개구리처럼 보이는 하늘만이 전부로 믿을 것이다.

한국 주류 식민사학은 실증사학을 맹종하며 연구를 지속한다면 조만간에 역사 속에 고립되고, 현실 세계 에서도 고립을 면치 못 할 것이다. 우물 안의 개구리처럼...

일본 제국주의는 근대 학문을 서구에서 수입했다. 일제는 서구 제품이라면 그 당시 사족을 못 썼다. 역사학 역시 랑케의 실증사학을 도입하는데, 이는 식민지배하는데 유리한 학문이기 때문이다.

식민지배하는 민족들의 신화는 허구이고 그 민족들을 미개하고, 열등한 민족으로 치부해왔다. 서구가 아시아를 오리엔탈리즘적 시각으로 보고 가르쳐야 할 대상으로 보는 비문명화된 시각으로 봤다. 열등하고 미개한 문명으로 본 것이다. 역사에 무지하고 미개한 사람들이다. 문명에 대해 문외한 들이다. 서구의 무지를 그대로 수입하여 조선에 그대로 적용하니 참으로 어처구니가 없는 일인 것이다

일본인 대표적인 식민사학자들은 시라도리, 이케우지,이마니시 류 등이 있다. 이들의 활동은 1920년까지 활발하게 활동했다.

1930년대부터는 한국인 학자들이 등장해 그 뒤를 이어받는다.

아무도 알려주지 않는 고조선 이야기

이병도, 이상백, 김상기 등이 대표적 학자 들이다. 조선총독부 산하 조선사 편수회에서 "조선반도사" 편찬 작업에 참여했으며, 이로 인해 오늘날까지도 비난을 받고 있는 이유중 하나이다.

"고조선의 개국 연대를 '요 시대에서 구한 것은 민족자존심'에서 유래된 것으로 보며, 수(명) 1908세에 대한 해석을 논하는 것은 어리석은 일이다." –이병도

이 글을 보고 있자면 얼마나 교묘하고 교활한 것인가를 알 수가 있다. 우리말 중에 '어르고 뺨 때린다'라는 말이 있다. 노골적으로 대놓고 부정하면 비난과 비판은 물론이고 식민사학자라고 하는 것이 신경 쓰여 '요 시대에서 구하는 것은 민족자존심' 운운하며 수명 1908세에 대해 논한다는 것도 이미 아님을 아는데 굳이 논하는가 하며 점잖게 '어리석은 일이다'라고 이야기한다. 해방 후 그의 제자들에게 전수되어 오늘날 한국 고대사에 크게 영향을 미치고 있는 것이다.

그러나 단군 신화는 그들의 생각과는 다르다. 역사적 가치와 의미는 신화 형성기의 정보를 담고 있다는 점에 못지않게, 그것이 민족의 정체감을 확립하여 주는 상징적 근거의 기능을 한다는 데 있다. 한 민족이 이웃 민족과 구별되는 독자적인 단위

체라는 인식을 갖게 된 것은 매우 오래전의 일이다. 아득한 옛날부터 그러한 생각을 갖게 되었다는 점을 단군 신화가 말해주는 것이다. ≪단군 그 이해와 자료≫ 윤이흠 P23~24

신화라는 말이 역사의 사실이 아닌 것처럼 비칠 수 있고, 오해를 불러일으킬 수 있으므로 이제부터는 檀君史話(단군 사화)라고 부르기로 하겠다. 단군 사화는 고조선의 건국(시조) 신화이다. 건국 사화는 앞에서 이야기했지만 어떻게 읽어내느냐에 따라 많은 정보를 얻을 수 있는 보물창고와 같다고 이야기했다. 건국(시조) 사화를 통하여 초기 국가의 조정, 지방조직, 지배세력, 신분제 등을 알 수가 있다.

초기 국가에 대한 역사를 올바르게 해석하지 않는다면 그 이후의 역사도 제대로 밝힐 수 없는 것이 분명하다. 첫 단추를 잘 끼워야 마지막의 단추도 잘 끼워지는 것이다. 단군 사화를 분석해 보면 한반도와 만주 지방에 사람이 출현한 후 단군왕검이 고조선을 건국 하기까지의 전 기간을 말해주고 있다. 단군 사화는 우리 민족의 발전과정을 대대로 후손들에게 전해주고 있는 것이다.

(3) 일본인들의 단군 연구

일본 하면 떠오르는 단어는? 일본인들의 이중성을 잘 나타내
주는 사무라이(무사도)가 있다. 일본의 사무라이는 보편적 이
념으로부터 고립된 무사집단이다. 때문에 이들에겐 이념이 부
재하며 무사이기에 이념을 창출할 수 있는 훈련과 역량이 없었
고, 막부시절에는 폐쇄된 일본이기에 이념을 수입하거나 학습
할 수도 없었다. 그리하여 사무라이는 유례없는 이념의 백치
상태가 되었고, 무사들이 약 800년간을 통치하던(쇼군) 시대
는 이념의 공백 시대가 되었다. 그들이 정권을 손에 쥐고도 천
황을 온전 시킨 이유가 여기에 있다.

일본에 남아있는 유일한 이념인 천황에 기대지 않고는 통치할
수가 없었기 때문이었다.“≪BUSHIDO - The soul of Japan≫
이라는 책이 미국에서 영어로 발간된 것은 1899년도였다. 이
책을 계기로 ‘武士道(무사도)’, ‘사무라이 정신’이라는 단어와
그 개념이 일본 역사에 있어 처음으로 등장하게 된다. 그 이전
의 어느 일본 문헌에도 ‘무사도’라는 단어는 나타나지 않는다
고 한다. 그리고 이 중요한 개념의 등장 동기가 의외라 할 정도

로 우습다." ≪사무라이 정신은 없다≫ 장성훈.북마크.p58

저자 니토베 이나조(1862~1933)는 미국과 유럽으로 유학까지 하고 미국 여성과 결혼했다. 나중에는 국제연맹 사무차장까지 한 근대 일본의 국제적 지식인이었다. 이러한 경력을 바탕으로 5000엔짜리 화폐에 그의 초상화가 실릴 정도로 현대 일본인으로부터 존경받는 역사적 인물이다. 오늘날의 일본에 사무라이 정신을 본격적으로 이용한 사람들은 군국주의자 들이다. 사무라이 정신이 바로 일본인들의 정신인 '야마토 다마시(大和魂)'라고 하면서 국민과 군인들에게 세뇌 교육을 시켰다. 세뇌 교육을 받은 군인들은 사무라이 정신을 실천하고 행동해야 했다. 하지만 전쟁이 끝난 후에 보인 이들의 행태는 그런 기대와는 달리 시정 잡배와 다르지 않은 추잡스러운 행동을 보였다.

패전 후 사무라이 정신을 실천한 사람은 극소수이고, 살기 위해 책임을 회피하고 옹졸한 행동을 보인 사람 중에 가장 치욕스러운 사람은 육군대신 도조 히데키이다. 핵심 권력을 장악한 그는 일본 국민을 전쟁터로 몰아붙인 사람이고 전쟁의 핵심 인물이었으며, 전쟁의 원흉이었다. 도조 히데키는 자국 젊은이들을 전쟁터로 내 보내 꽃다운 나이에 죽게 만든 장본인이다. 전쟁 상대국의 국민들을 입에 담지 못할 정도로 강간, 살육, 고문치사, 집단 살육으로 죽였다. 그런 그가 패전 후 그들이 평소 자랑하던 무사정신으로 할복할 줄 알았는데 군인으로 명예스럽게 죽지도 못하고 수치스럽게 대일본제국 육군대신이 포로로 잡혀 재판정에 섰으며 결국은 교수형으로 죽는다.

일반적으로 니토베 이나조가 사무라이 정신을 말 한 것과는 달리, 일본의 전쟁 책임자들은 죽지 않으려고 보기 민망할 정도의 모습을 보이다가 교수대 위에서 죽는다. 일본의 이중성을 잘 나타내주는 단어가 사무라이라고 했다. 실제적으로 알려진 것과는 반대로 추잡하고, 비겁하고, 비굴한 행동을 한 게 바로 사무라이들이다. 한마디로 말해서 양아치이다. 그 후예들이 지금 집권하고 있는 자민당 집단이다.

사무라이! 명예로운 죽음은 할복자살이라고 알려져 있지만 쉽지 않은 죽음 방법이다. 배를 가르고 충분한 피가 흘러야 되고 완전히 죽을 때까지는 엄청난 형극의 고통을 느껴야 되는데 무려 16시간 정도 그 고통을 참고 견뎌야 된다고 한다. 그 고통을 참고 감내할 사람이 과연 몇이나 될까. 실제로는 정치, 군부 수뇌부의 지도자들은 그런 고통을 알고 할복하는 이들은 없고 하급무사들에게만 강요한다. 그게 양아치인 것이다. 그러니 정치 지도자들의 행동들이 일반적 상식과는 괴리가 있는 것이다. 의리가 전혀 없는 거다.

일본인들의 단군연구에서 왜 사무라이를 이야기하는가? 바로 일본인들의 이중성을 나타내고 비굴하며 비겁함을 드러내기 위해 예를 들었다. 그런 그들이 단군 연구를 한다면 학문적이며 객관적으로 연구를 하겠는가 하는 것이다. 일본인들의 본질을 알 수 있는 책이 있다.

일본인들의 이중성과 악랄함, 잔혹함이 담긴 아이리스 장의 ≪난징의 강간:제2차 세계대전의 잊혀진 홀로코스터≫인데, 2006년에 개정판 ≪역사는 힘 있는 자가 쓰는가≫라는 제목으로도 출간되었다. 인간이 인간에게 저지른 악행을 연대기로 남긴다면 길고도 참혹한 이야기가 많을 것이다. 하지만 그 끔찍함에 있어서는 제2차 세계대전 중에 벌어진 잔혹함 중에 ≪난징의 대학살≫에 비견될 만한 강도와 규모를 지닌 사건을 발견하기는 쉽지 않을 것이다.

일본인들이 단군 연구를 함에 있어 학자적 양심을 가지고 사료에 근거해서 역사적 사실만을 기록하길 바라는데, 그런 학자

아무도 알려주지 않는 고조선 이야기

는 없을 거라고 생각한다. 일본학자들은 대개 황국사관, 식민사관으로 철저히 무장된 어용학자 들이다. 우선 대표적으로 이마니시 류가 있는데 아직도 남한 강단사학자 중에는 조선총독부 및 경성제국대학에 근무했던 이마니시 류를 존경하며 스승으로 모신다고 한다. 한국사를 전공했으며 조선총독부 <조선사 편수회> 출신으로 이병도와는 가깝다고 한다. 해방된지도 벌써 70년의 세월이 넘었는데도 아직도 그들의 학설을 추종하며 그대로 따르는 국내 학자가 있다는 것은 참으로 통탄할 일이 아닐 수 없다.

이마니시 류는 저서가 여럿 있지만 그중에 《단군고,檀君考》에서 단군신화를 어떻게 왜곡하고 날조했는지 그 왜곡의 정도를 알아보려고 한다. 「조선에는 개국(開國)의 신인(神人)이 있으며 단군이라는 전설이 있다. 그 나라를 단군조선(檀君朝鮮)이라 칭하며 그다음의 기씨(箕氏), 위씨(衛氏)의 양 조선과 함께, 삼고조선(三古朝鮮)으로 칭해 이씨조선(李氏朝鮮)과는 구별하고 있다.」《일본인들의 단군 연구》신종원 엮음, p49.

《단군고》에서 이마니시는 단군사화를 전설이라고 한다. 기씨, 위씨는 기자조선과 위만조선을 칭하고 있는 것 같은데, 양

조선과 함께 삼고조선이라 했다. 이는 엄연히 잘못 알고 왜곡하는 것이다. 기자조선과 위만조선은 한국사의 주류로 편입할 수가 없다. 기자는 중국 상나라 사람이며 상나라가 망하자 주나라를 피해 고조선으로 망명을 온 자이다. 그리고 위만 역시 춘추전국시대 연나라 사람으로 중국 사람인 것이다. 위만은 漢나라를 피해 도망을 와서 기자가 살고 있는 고조선의 서쪽 지역의 조그만 지역을 얻어 정착한 자인데 어찌 고조선과 어깨를 나란히 하여 삼고조선이라 부를 수 있겠는가. 이는 이마니시가 고조선(단군조선)을 격하시키고 조그만 나라로 만들기 위해 왜곡하고 있는 것이다.

"이씨조선과는 구별하고 있다"라고 했다. 일본인들은 조선을 이씨조선이라고 부르는데 조선을 하나의 독립국가로 보지 않고 이씨들의 왕국으로 비하하고, 조선을 한낱 이씨들의 왕조로 보면서 폄하하고 자기들 방계 왕조 정도로 생각하고 있는 것이다. 한국 사람들 중에도 이씨조선이라고 표현하는 사람들이 있는데 이제부터는 이런 표현은 안 했으면 한다.

이마니시 류는 "단군은 본래 부여, 고구려, 만주, 몽고 등을 포괄하는 퉁구스족 가운데 부여의 神人으로서 금일의 조선민족의 본체인 한(韓) 종족의 神이 아니라고 했다" 한반도와 만주에 있었던 많은 종족 가운데 가장 강한 종족의 고을나라가 다른 나라의 고을 나라들을 복속시켜 고조선을 건국하였다. 한민족의 형성은 외부로부터의 이주족에 의한 것이 아니라 한반도와 만주지역의 토착인들의 연합이 계속 확대되어 만들어진 것이다. 단군은 神人으로 표현하고 있지만 단군은 神이 아니라 고조선 통치자의 칭호이다. 왜 이런 일이 일어날까?

단군이 이끌었던 고조선(단군조선)을 억지 주장과 이론을 들어가며 부정하고 있는 것이다. 일본인들의 한민족에 대한 열등감의 발로가 아닐까 한다. 고조선을 인정하게 되면 자기들보다 우리 역사가 천오백 년 이상 앞서기 때문에 일제가 조선을 침략하자마자 고조선 역사를 제일 먼저 갈기갈기 찢어 놓은 것이다. 지금도 고대사 부분은 왜곡된 채로 학생들을 가르치고 있는 현실이 안타깝다.(다른 부분도 마찬가지이지만 고조선사가 제일 심하다) 우리 역사를 지금도 식민사학자들이 만들어 놓은 것을 고치지 않고 쓰고 있다는 것은 나라의 수치고 한국 식민사학자들의 끈질김에 몸서리가 쳐진다.

역사는 사실만을 기록해야 하는 것은 당연하다. 어떤 이유에서

든지 거짓과 왜곡 날조는 더 이상 하지 말아야 하는데 원래 꼴통과 양아치는 버릇을 고치지 못하는 법이다. 사르트르가 말했 듯이 "지성인은 행동에 대해 막중한 책임이 따르기 때문에 역사에 대해 한 치의 거짓이 없는 행동을 해야 한다."라고 했다.

아직도 우리 사회에는 친일파들과 그의 부역하는 사람들이 생각 외로 많음을 알 수 있다. 그들에게 양심에 어긋나는 일을 하지 말라고 상투적으로 부탁한다. 이제는 기회가 온다면 특별법을 만들어서라도 소급해서 친일파들과 그의 부역자들은 반드시 역사와 민족의 이름으로 처단해야 한다. 그래야 역사가 올바르게 서고 일제에 의해 희생당한 영혼들을 달랠 수가 있는 것이다.

3. 고조선의 건국

고조선은 우리 민족이 세운 최초의 국가이다. 고조선의 국명은 원래 조선이었다. 그런데 ≪삼국유사≫의 저자 일연(一然)은 이를 고대에 있었던 조선이라는 뜻으로 고조선이라 불렀다. 고조선은 단군에 의해 통치되었으므로 단군조선이라고도 불린다. 고조선 이전에도 정치권력이 출현하기는 했지만 아직 국가체계를 갖춘 단계는 아니었다. 처음 시작은 씨족을 중심으로 하나의 촌락을 이루고 촌락과 촌락이 연결이 되며 촌락보다는 좀더 큰 마을을 이루게 된다. 이때가 약 서기 전 4000년 경으로 추측이 된다. 이때에는 재산도 사유화를 할 수도 있었고 구성원들 사이에는 빈부의 차가 발생한다. 그리고 정치권력을 가진 마을의 추장도 생겨나는데 각 마을들은 서로 연맹도 하고 전쟁도 치르면서 강한 부족이 생성되어 국가를 만들게 된다.

≪삼국유사≫와 ≪제왕운기≫에 의하면 고조선은 서기 전 2333년에 단군왕검에 의하여 건국되었다. 단군은 통치자에 대한 칭호이고 왕검은 초대 단군의 이름이다. 이 두 책은 고려 후기에 쓰였을 뿐만 아니라 고조선에 관한 내용이 너무 간략하기 때문

에 그 내용을 의심하는 학자들이 있다. 하지만 고조선의 연구가 진전되면서 ≪삼국유사≫의 기록이 상당히 신빙성이 있는 것으로 밝혀지고 있다. 고조선이 국가단계에 진입 여부는 당시에 법이 존재했는가이다. 고조선에 법이 존재했다는 기록이 중국 문헌에 남아 있다. ≪漢書≫<地理志>에는 중국의 서주(西周) 초에 기자(箕子)가 조선으로 망명했을 때 고조선에는 이미 '범금팔조(犯禁八條)'라는 법이 있었다고 전한다. 고조선에 법이 있었다는 사실은 고조선이 이미 국가사회단계에 진입했음을 알게 하는 것이다.

고고학적으로 청동기시대는 대체로 국가사회단계였다고 보는 게 정설이다. 한민족의 청동기문화 개시 연대를 서기 전 1000~900년경일 것으로 보았다.(주로 강단사학의 주장) 이 연대는 비파형동검의 연대를 따른 것이다. 이 연대를 청동기문화 개시 연대로 본다면 서기 전 2333년이라는 고조선의 건국연대는 성립할 수 없게 된다. 이는 신석기시대에 나라가 건국됐다는 것이 되어 청동기시대에 국가가 출현한다는 일반론과는 맞지 않기 때문이다. 고조선의 청동기문화 개시 연대는 서기 전 1000년보다 훨씬 빨라야 하는 것이다. "근래의 고고학적 발굴과 연구결과에 의하면 만주 지역에서 가장 이른 청동기 문화인 하가점(夏家店)하층문화는 서기 전 2410년으로 확인되었고 한반도의 문화유적인 경기도 양평군 양수리 고인돌과 전라남도 영암군의 집자리는 서기 전 2500~2400년 경인 것으로 확인되었다. 서기 전 2500년 경에 시작된 청동기 문화는 서기 전 1000년 경에는 비파형동검 단계로 발전했던 것이다."(≪새로운 한국사≫ 윤내현.p68)

고조선의 청동기를 기존 학계의 정설보다도 최소한 1000여 년 앞당기면서 단군을 실제로 간주했다는 사실은 각계에 커다란 충격을 주었다. 하지만 그동안 단군조선이 신화에 지나지 않는다고 역설한 소위 강단사학자들이 곧바로 반격하면서 이의를 제기했다. 한국 교원대 송호정 교수는 "기원전 15세기에 한반도 청동기시대가 본격화된다는 이야기는 학계에서 합의된 내용은 아니다. 이 시기에 나타나는 청동기 유물은 극소수 장신구에 불과하다"라고 주장했다. 송 교수는 한국 측의 급작스러운 교과서 개정은(2007년, 고1 국사 교과서) "중국 동북공정에 대항해 이런 논리가 나오는 것 같은데 좀 더 진지한 논의가 필요하고 합의가 있어야 한다"라고 지적했다. 고고학적 발굴로 입증되어 결정한 사실을 굳이 송호정 교수의 주장은 어느 국가의 역사 교수인지 헷갈릴 정도다. 이는 현재 벌어지고 있는 후쿠시마 오염수방류에 대해 말을 안 할 수가 없다. 한국 원자력학회 회장인 백원필에 따르면 "일본의 후쿠시마 제1원 자력발전소에서 발생하는 오염수를 10L 정도 마시는 것이 엑스레이를 한 번 찍는 수준 정도 방사능에 노출된다고 밝혔다. 한마디로 오염수 방류를 반대하기 어렵다"라고 이야기했다.

역사학자나 원자력공학자나 어떻게 일본이 주장하는 논리를 그대로 따라 하는지 몇십 년 연구하고 있는 학자적 양심은 어디로 갔는지 이해가 정말 안 간다. 의외로 청동기 개시 연대를 앞당기는 것에 대해 반대 의견이 많다. 그만큼 해방 이후 식민사학에 세뇌되고 공부해서 교수가 되어 학생들을 가르치고 있다는 사실은 걱정 이상으로 심각한 사안이다. 이 같은 논란은 고조선이 명실상부한 '역사'로 자리 잡기에는 아직도 넘어야 할 산이 많다는 것을 의미한다. 고고학적 조사가 급증하고 이용 가능한 자료가 증가하면서, 과학적 연대측정이 도입되고 중국 각지의 유적과 유물이 갖고 있는 편년적 위치도 점차 명확해지게 되었다. "그런데 '뜻밖에도' 문명의 변방 지대로 인식되었던 중국 동북방의 선사문화, 즉 요하유역에서 그동안 중국의 주류라 인정했던 문화보다 연대가 훨씬 거슬러 올라간다는 것을 발견했다. 이것은 당연히 중국 학계에서 그동안 주류적

지위를 점해왔던 중원중심론에 타격을 주었다는 것을 의미한
다."(≪고구려는 중국사인가≫신형식·최규성, 백산자료원,2004)

한민족의 청동기문화 개시 연대는 ≪삼국유사≫에 기록된 단
군왕검의 고조선 건국 연대에 관한 기록이 과학적인 근거를 갖
게 된다. 고조선이 건국됨으로써 한반도와 만주의 거주민들은
동일한 정치공동체와 문화공동체의 구성원으로서 집단 귀속
의식을 갖게 되어 한민족이 출현했던 것이다. "단군신화에 의
하면 한민족 형성의 중심세력 즉 고조선 건국의 중심세력은 환
웅족과 곰족, 범족이었는데 그 가운데 환웅족은 가장 핵심세력
으로서 한족(韓族), 조선족(朝鮮族)으로도 불리워졌다. 환웅족
의 마을연맹체가 한반도와 만주에 있었던 여러 마을 연맹체를
복속시켜 국가를 출현 시켰는데 환웅족은 가장 강한 세력으로
최고 지배족이 되었다."(≪새로운 한국사≫윤내현.P68) "환웅족은 해를
하느님으로 섬기던 종족이었다. 고조선의 통치자에 대한 칭호
인 단군은 몽골어에서 하늘을 뜻하는 텡그와 어원이 같아 하느
님을 섬기는 종교 지도자를 말한다."(≪불함문화론≫최남선. 현암사,
1973, P56)

환웅족의 기원지는 백두산 주변의 어느 지역이었을 가능성이
있다. 국가가 출현하기 전의 한반도와 만주지역문화는 새김무

늬 질그릇으로 특정 지어진다. 그런데 백두산 주변 지역은 납작밑새새김무늬 질그릇문화의 중심을 이루고 있다. (≪한국 상고사의 제문제≫ 임재해, 1987,) 이러한 중심문화를 담당했던 사람들이 후에 정치적으로도 중심세력을 형성했을 가능성이 크다. 백두산 주변의 어느 지역에서 성장한 환웅족이 주위의 마을들과 연맹을 맺어 환웅족 마을 연맹체를 결성한 후 다른 마을 연맹체들을 복속시켜 '아사달(阿斯達, 지금의 평양)'에 도읍을 정하고 고조선을 건국했던 것이다.(국사교과서나 한국사 개설서에는 고조선의 도읍은 '王儉城 왕검성'이었다고 기술되어 있다. 그러나 왕검성은 고조선의 도읍이 아니라 위만조선의 도읍이었다.(≪삼국유사≫ 권1, <기이><위만조선>조.)

아사달은 '아침 땅'이라는 뜻으로 조선과 그 의미가 같다. 고조선에는 도읍을 검터(검독-儉瀆)라고도 불렀는데 중국 문헌에는 험독(險瀆)으로 기록되어 있다.

고조선은 도읍을 네 번 옮겼다. 고조선의 도읍 이동은 고조선의 성장 및 당시의 국제정세의 관계가 있다. 한반도에서 성장하여 지금의 평양(아사달)[1]에 도읍을 정한 고조선은 그 세력을 만주로 확장하면서 그 지역의 통치를 원활하게 하고 동시에 황허유역의 정치세력이 동북부로 진출하는 것을 막기 위해 도읍을 난하유역의 창리 부근(백악산아사달)²으로 옮겼다. 그런데 서기 전 12세기 경에 기자(箕子)가 서주(西周)로부터 난하유역으로 망명해 와서 고조선의 거수국이 되기를 원하므로 고조선은 국경의 방어를 기자에게 맡기고 도읍을 다링허 유역의 장당경(藏唐京)³으로 옮겼다. 그 후 지금의 요서 서부지역에서 위만조선이 건국되어 영토를 확장하고, 위만조선이 망한 후 그곳에 한사군이 설치되는 과정에서 고조선은 랴오시 지역의 영토를 잃게 되어 도읍을 첫 번째 도읍이었던 아사달(지금의 평양)로 옮기게 되었던 것이다.

고조선의 영토 안에 있었던 요하문명은 중원중심론에 타격을 주었다고 했다. 그동안 중국의 화하족에게 뒤떨어지는 야만족이라고 비하하던 동이가 전통적인 중화민족보다 앞선 문명을 지닌 집단이 되는 것이다. 한마디로 황하문명은 요하문명의 지류나 방계문명으로 전락하는 것이다. 그래서 중국은 이러한 모순점을 해결하기 위해 다민족 역사관을 내세운 것이다. 중국이 이와 같이 다민족을 생각하는 정책으로의 변화는 그동안 소수민족을 배제하고 중화민족 위주로 설정한 정책이 보다 큰 문제점을 만들 수 있다는 우려가 대두된 것이다.

중국에서 촉각을 곤두세우고 있는 지역은 티베트 지역, 중국인과 확연히 다른 위구르 지역, 조선족이 밀집된 동북지역이다. 급격히 변화하는 세계정세도 중국의 정책을 당기는데 일조했다. 1989년 동구권이 와해되었고 1991년에는 강대국인 소련이 해체되면서 수많은 소수민족 공화국들이 독립했다. 이는 향후 중국이 분열되어 수많은 독립국가가 탄생할 수 있다는 것을 사전에 방지하기 위해 다민족국가의 기치 아래 소수민족을 챙기지 않을 수 없다는 것을 설명한다.

우리 역사에서 고조선문명이 갖는 의의는 새삼 강조할 필요가 없을 것이다. '고조선'하면 여전히 단군신화 정도로만 생각하는 이들도 있겠지만, 현재의 상황은 옛날과 많이 달라졌다. 요하 지역에서 고대유물이 엄청나게 많이 발굴되면서 중국의 황하문명과는 구별되는 요하문명이 새롭게 조명 받고 있으며, 이 요하문명이 어떤 식으로든 우리의 고조선문명과 깊이 연관되어 있다는 것은 부인할 수 없는 사실이기 때문이다. 인류의 역사를 보편사적인 시각에서 특수성을 이해하려고 하는 관점과 단순히 국수주의 시각에서 고조선을 바라보는 것도 역사적 방법으로는 옳지 않다.

4. 고조선의 영토

고조선의 영토는 한반도와 만주 전 지역이었다. "서쪽은 베이징 근처에 있는 난하에 이르고, 북쪽은 얼구나하, 동북쪽은 헤이룽강(흑룡강), 남쪽은 한반도 남부 해안선에 이르러 지금의 한반도 전부와 중국의 랴오닝성(요령성), 지린성(길림성), 헤이룽장성(흑룡강성) 전부 및 허베이성(하북성) 동북부와 네이멍구자차구(내몽고자치구) 동부를 차지하고 있었던 것이다."

≪새로운 한국사≫윤내현.p72

고조선에 대해서 정확한 연구를 위해서는 고조선의 영토 범위가 확실하게 밝혀져야 한다. 고조선의 영토가 한반도에 국한되었는지 아니면 한반도와 만주지역까지 해당되는지 알아야 할 것이다. 고조선의 영토에 대한 분명한 인식 없이는 고조선의 정치·사회·문화 등 전반에 걸친 연구가 올바르게 될 수가 없다. 역사에 관한 연구는 사실복원이라고 했다. 학자들 간의 연구 결과에 따라 다른 결과가 나올 수 있는 사안이 아니다. 학자들의 이데올로기나, 역사의식 사관 차이에 따라서 다르게 말해질 수 있는 성질의 것이 아니다. 그러므로 역사연구는 사료에 따라 과학적이고 합리적으로 이뤄져야 한다.

출처:《고조선 연구》윤내현.일지사. 고조선의 영토

고조선이 한반도와 만주 전 지역을 통치했다면, 당시에 이 지역에 살았던 모든 사람은 고조선의 사람으로서 하나의 정치공동체와 문화공동체를 이루어 한민족을 형성했을 것이므로 이지역은 한민족의 활동 무대가 된다. 일부 학자들은 대체로 한

　　　　　　　　아무도 알려주지 않는 고조선 이야기

국의 고대문화를 한반도 중심(식민사학자들)으로만 이해하였다. 그런데 만주가 고조선의 영토에 포함되어 있었다면, 만주의 고대 자료도 한반도의 자료와 똑같이 한국의 고대 역사와 문화를 연구하는 자료로 다루어져야 한다. 만주에 있는 유적이나 유물에 대해서는 고조선 시대뿐만 아니라 그 이전이나 그 이후 시대의 것에 대해서도 한국 역사와 연관하여 연구할 필요가 있다. 왜냐하면 그 시대의 문화가 뿌리가 되어 고조선이 탄생했기 때문이다.

"서기 전 3세기를 지나면서 중국 전국시대 철기문화가 남만주 지역과 한반도 땅에 영향을 미쳤다. 이전의 비파형 동검문화도 이른바 한국식 동검문화로 발전하는데, 서북한 청천강 이남 지역이 중심지였다. 일찍이 청동기시대부터 서북한지역에서 성장하던 주민 집단들은 요령지역의 선진 청동기문화와 철기 문화를 받아들여 한국식 동검문화를 새로이 창조해낸 것이다. 이 시기에 한반도 서북지방에서는 위만으로 대표되는 여러 중국 유이민 세력이 등장하여 서서히 국가체를 이루어갔다."(≪단군, 만들어진 신화≫ 송호정, 2004,p21~22)

그러나 고조선의 유적과 유물이 중국 대륙에서 엄청나게 발굴되고, 1980년대에 윤내현이 문헌고증을 통해 고조선의 위치와 영역을 밝히자 궁지에 몰린 주류학계는 무대응으로 일관한다. 주류사학계(식민사학자)는 역사학의 원칙인 문헌고증을 이미 백 년 전에 포기했다. 그리고 유적이나 발굴 유물로 문헌을 보완한다는 역사학의 기본도 포기했다. 일제 식민사관의 학문적 관행과 풍토는 이런 방법으로 한국 주류사학계에 이식되어 고질적 병폐가 되었다. 과학적인 방법으로 밝혀진 새로운 학문적 근거들을 무시하거나 미리 정해진 이론에 맞춰 변용하여 해석하고 억지 주장으로 위기를 슬그머니 넘어간다. 그렇게 식민사학의 골간은 사수된다.

한국 식민사학자들은 한국의 선진적인 문화는 무조건 외래에서 온 것으로 단정하고 본다. 그들에게는 절대적인 공식이다. 그에 대한 근거는 일체 제시하지 않는다. 그냥 그렇게 상상하고 추론하는 것이 근거라면 근거다. 송호정은 일제가 창작한 주장 말고 그렇게 판단하는 근거를 아마 밝히지 못할 것이다. 아무런 1차 사료적 근거 없이, 그의 주장은 그냥 식민사학계의 논법일 뿐이다. 그의 스승들이 주장한 것을 근거라고 제시하거나, 인신공격을 가하거나, 문제제기에 일체 대응을 하지 않는다. 수십 년 전부터 공개적으로 문제제기한 주제들에 대해 식민사학계는 이 같은 전략으로 자신들의 생존을 부지한다. 이병

아무도 알려주지 않는 고조선 이야기

도와 그의 일제 스승들이 그렇게 상상하고 강변한 것을 따라하는 것뿐이다.

뭔가 비슷한 일들이 떠오르지 않는가? 왜 정치인들이 수산시장 수조물을 갑자기 떠먹냐 이 말이다. 그런 수조물도 많이 먹으면 죽는 것을 모르는가. 고기들이 배설한 똥물인 것을 몰랐을 것이다. 알고는 먹지 않았을 무식한 양반들... 그런 행동이 핵 폐기물 오염수에 대한 대응인가? 과학적 근거를 외치지만 외칠수록 자신들의 입지만 좁아지고 궁색하니 그렇게라도 충성하는 것을 보면 참으로 눈물겹다.

고조선에 관한 우리 국민의 인식 수준은 자신들의 조상이 첫 번째로 세운 나라인 고조선에 대해 그것이 존재했다는 사실조차 모르고 있는 국민이 절반은 넘는다고 하니 그러한 역사지식을 가지고 문화민족이 될 수 있겠으며, 민족 정체성이 있는 국가가 될 수 있겠는지 심히 걱정스럽다. 그렇게 된 데에는 역사학자들의 책임이 크다. 고조선은 오래된 나라여서 그것에 대한 기록이나 자료가 충분하게 남아 있지 않아서 학자에 따라 서로 견해를 달리하는 부분이 많다 보니 그것이 논쟁거리가 되기도 한다. 이 때문에 많은 사람들이 고조선에 대해 실체가 불확실한 나라로 잘못 인식하고 있는 것이다. 역사가 오래된 나라의 고대사에 대해서는 학자들 사이의 견해의 차이가 있기 마련이다. 그렇다고 하여 그 존재까지 부인되는 것은 아니다.

송호정 교수는 기본적으로 문헌사료의 부족과 그 사료에 대한 인식 차이에서 비롯된다. 문제는 고조선의 영토 위치를 말해주는 문헌사료가 대단히 모호한 내용만 담고 있다는 데 있다. "고조선(단군조선)은 국가체제를 갖추었을 때 지배세력이 자신들의 지배를 합리화하기 위해 만들어낸 건국신화이기 때문이다. 지금까지 많은 연구를 통해 단군신화는 고조선의 지배자들이 자신들의 지배를 정당하고 신성한 것으로 만들기 위해 고대신화의 요소를 빌려 만들어낸 지배 이데올로기임이 입증되었다. 따라서 단군조선은 단지 신화일 뿐, 역사적 사실로써 그 증거를 찾는다는 것은 사실상 불가능하다."(《한국고대사 속의 고조선사》 송호정.푸른 역사. p104)

윗글의 근거로 송 교수는 자신의 스승 노태돈의 논문을 주(註)로 달아 근거로 제시했다. "많은 연구"라고 말하는데 그 가운데 하나라도 증거로 제시했으면 좋을 텐데 그런 내용은 없다. 식민사학자 노태돈 교수가 입증한 결과를 근거로 제시했는데 그럼 노태돈 교수의 근거를 보기로 하자. "가령 단군이 고조선

아무도 알려주지 않는 고조선 이야기

을 개국한 해가 서기전 2333년이라는 것은 실제 역사적 사실과는 무관한 것이다. 국가가 형성되려면 최소한의 객관적인 조건으로 농업경제와 청동기 문화가 어느 정도 성숙한 다음에야 가능하다. 그런데 한반도와 남만주 지역에서 그런 객관적인 조건이 마련되려면 빨라도 서기전 12세기를 올라갈 수 없다. [‥‥] 고려 후기인들에게 본격적으로 제기되었고, 그 뒤까지 이어지는 그러한 의식 자체에 의미가 있는 것이지, 실제 사실이 그러하였다는 것은 아니다." 노태돈 《단군과 고조선사》 사계절. p16~17)

그들이 주장하는 내용은 자기 스승들의 논문을 근거로 주(註)로 삼기 때문에 똑같다. 쓰다 소키치, 이마니시 류→이병도→노태돈→송호정 등 이들이 스승이나 제자가 주장하는 내용이 똑같으니 참으로 신기한 일이다. 단군조선(고조선)을 인정하면 지금껏 쌓은 업보가 깊고, 걸어온 길이 멀어 다시 되돌아갈 수가 없다. 고조선을 끝까지 부정하고 설령 인정하더라도 그 연대를 한참 깎아내려야 하는 일만이 그들이 생존하는 길이기 때문에 그렇다.

"중국이 통일되어 진제국이 출현한 후 진시황제는 이민족 침입을 방어하기 위하여 국경에 진장성(秦長城,만리장성)을 쌓았는데, 그 동부는 갈석산(碣石山)에서 시작되어 난하를 통과하였다. 이것은 진장성의 동쪽 끝부분이 고조선과 연나라의 국경과 동일한 위치에 있었음을 알게 한다. 진장성은 전국시대에 북부지역에 있었던 여러 나라의 성을 연결 보수하여 완성한 것이므로 그 동부는 연나라의 국경과 동일했던 것이다. 이것은 진제국시대인 서기 전 3세기 말에도 고조선의 서쪽 국경은 난하와 갈석산으로 형성되어 있음을 알게 한다."

"≪사기≫ <조선열전>에는 西漢은 그 초기에 고조선과 국경이 너무 멀어서 지키기 어려움으로 국경 초소를 서한 지역으로 후퇴시켰다고 하였다.≪사기≫권 115, <조선열전> 서한 초는 서기 전 2세기 초로서 고조선 말기였다. 이는 고조선 말기까지도 고조선의 서부 영토는 줄어들지 않았고, 오히려 국경선상의 서한 초소가 서한 지역으로 이동했음을 알게 하여준다." ≪고조선 연구≫윤내현. 일지사.

위의 상황으로는 서기 전 12세기경부터 고조선 말기인 서기전 2세기까지 고조선의 서쪽 국경은 지금의 난하와 갈석산이었다. 이것은 서기 전 12세기 이전에도 고조선은 난하 유역까지 영향력을 행사했을 것으로 보인다. 이들 지역에서 발굴되는 고고학적 유물들이 고인돌 무덤, 새김무늬 질그릇, 비파형

아무도 알려주지 않는 고조선 이야기

동검 등을 특징으로 하는 동일한 문화권이었고 황허 문화권과는 구별되었다. 그리고 서기 전 12세기까지 황허 유역을 지배했던 夏나라나 商나라의 세력은 난하까지 미치지 못하였다. 이는 서기 전 12세기 이전에도 고조선의 서쪽 국경은 난하와 갈석산으로 형성되어 있었을 가능성을 말해주는 것이다.(지금까지의 고고학적 발굴 결과에 의하면 商 시대에도 그 세력이 허베이성 중부를 넘지 못했던 것으로 확인된다)

고조선의 대표적 청동무기인 비파형동검을 비롯한 고조선 특징의 여러 유물들이 한반도 남부 해안지역부터 북경 서쪽까지 한반도와 만주 전 지역에서 출토된다. 청동기시대에 청동무기는 지배층이 독점하고 있었기 때문에 동일한 청동무기가 출토되는 지역은 같은 국가의 통치영역으로 간주된다고 봐야 한다.

일부 학자들은 고조선과 중국의 국경을 대릉하, 요하, 압록강, 청천강 등으로 보는가 하면 진장성(만리장성)이 청천강 유역까지 쌓아졌었을 것(식민사학자)으로 상정하기도 한다. 현재 만리장성은 갈석산 동쪽의 산해관까지 쌓아져 있는데 이것은 명나라 초기에 서달 장군이 영토를 확장하여 증축한 것이다. 만리장성이 그 이전에 청천강 유역까지 쌓아져 있었다면 어찌해서 확장하여 쌓은 만리장성이 그전보다 중국 쪽으로 깊이 들어간 산해관까지 일 수가 있겠는가.

만리장성(秦장성)이 길이가 만리가 된다고 해서 붙여진 이름인데 청천강 유역까지라면 이만리가 된다고 하니 한국식민사학자들이 그 길이를 늘여주는 것이고 우리 영토를 갖다 바치는 꼴이니 한심하고 매국이 따로 없다. 일제 식민사학자들이 조선을 조그맣고 미개한 나라를 만들기 위해 왜곡, 조작 날조한 것을 그대로 따라 하고 있으니 그 폐해는 현재 일본 후쿠시마 핵폐기물 오염수 방류 같은 부작용을 낳는 것이다. 원인 없는 결과 없다고 했다. 사대주의(중국)자, 식민사학자 들이 이 땅에 발붙이고 사는 한 언제나 일어날 수 있는 사항이다.

아무도 알려주지 않는 고조선 이야기

(1) 고조선의 서쪽 국경

고조선의 서쪽 국경은 중국의 고대 문헌 속에서 비교적 구체적으로 확인된다. 중국인들이 고조선에 관한 기록을 남긴 것은 한민족의 역사를 전하기 위함이 아니다. 그들의 역사를 기록하는 과정에서 관계가 있는 사항을 기록에 남긴 것이다. 중국의 고대 문헌에, 고조선은 중국과 국경을 접하고 있었다고 기록되어 있으므로, 중국의 동쪽 국경을 확인하면 그곳은 바로 고조선의 서쪽 국경이 되는 것이다. 춘추전국시대를 통일시킨 것은 秦나라 시황제이다. 진 제국의 영토를 보면 ≪사기≫<진시황본기>에 진 제국 영토는 동쪽으로는 바다에 이르렀고 조선에 미쳤다. 서쪽은 임조와 강중에 이르고 남쪽은 북향호에 이르렀고, 북쪽은 황하에 의거하여 요새를 만들고 음산을 따라 요동에 이르렀다. 고조선과 진 제국은 국경을 접하고 있었는데 그곳은 요동이었다.

중국과 고조선의 국경 이야기를 할 때면 한국주류역사학계는 고조선의 영토범위를 일제 식민사관의 논리에 따라 고조선을 작은 정치집단으로 보고 한반도 내로 국한시키고 있다. 이에 반해 독립운동가이며 민족주의 학자인 신채호, 정인보, 북한학자 리지린, 남한의 윤내현은 한반도와 만주지역을 강역으로 본다. 각 영토의 범위 부분에서는 학자들마다 조금씩 차이는 있다. 만주까지 보는 학자들을 보면 증거와 근거를 정확하게 제시하고 있다. ≪사기≫에서는 한쪽 국경을 접한 지역으로 요동이 나온다. 여기에서 요동은 중요한 의미를 지닌다. 고조선의 서쪽 국경을 밝히기 위해서는 먼저 요동의 위치를 고증할 필요가 있다. ≪사기≫ 사마천의 기록이므로 사마천은 갈석산 지역을 요동으로 인지하고 있었다. 그렇다면 당시의 요동은 어디였을까?

"지난날 대부분의 학자들은 고대의 요동을 지금의 요동과 동일한 곳으로 생각했다. 그렇게 되면 고조선과 진 제국의 국경은 지금의 요하나 압록강이었을 가능성이 있게 된다. 고조선과 진 제국의 국경을 요하나 압록강 또는 청천강으로 보는 견해는 고대의 요동과 지금의 요동을 동일한 곳으로 보는 것에 바탕을 두고 있다. 그러한 관점은 사료를 너무 쉽고 편하게 해석한 결과이다. 사료는 꼼꼼하게 분석해야 한다. 땅, 강, 산 이름이 등장할 때는 그것이 어느 곳에 있었는지를 사료를 가지고 고증해야 한다. 요동의 경우에도 고대의 요동과 지금의 요동을 동일한 곳으로 단정할 것이 아니라, 그 위치에 변화가 없었는지를 사료에서 확인해야 한다."≪사료로 보는 우리 고대사≫ 윤내현, 2013, 지식산업사.

주류식민역사학자 오강원은 "고조선에 관한 한 가장 믿을 만한 역사 기록인 ≪사기≫와 ≪위략≫에는 기원전 4세기 조선 후대의 고조선으로부터 기원전 108년 위만 조선이 漢 과의 전쟁에서 패해 멸망하고 그 땅에 낙랑, 현도, 진번, 임둔군이 설치되기까지의 기록되어 있을 뿐, 고조선이 언제 어디에 있었는지 분명하게 드러나 있지 않다. 사정이 이러한즉 그간 고조선의 위치를 난하 유역, 대릉하 유역, 요하 유역, 대동강 유역 등으로 다양하게 보아왔다"(≪고조선, 단군, 부여≫ 오강원, 동북아역사재단, 2008, p33)

≪사기≫는 중국 역사서이다. 중국 역사서에 어찌 고조선이 나오겠는가? 사마천이 중국 역사를 쓰면서 필요에 따라 <조선열전>에서 이야기한다. <조선열전>의 첫머리도 위만조선에 관해 이야기를 시작한다. 위만은 연나라 사람, 즉 중국인이다. 당연히 ≪사기≫에는 고조선이 언제 어디에 있었는가는 나오지 않는다. 오강원은 식민사학자 선배들의 심기를 건드리지 않기 위해 아마도 알고 있으면서도 글을 써야 했으리라 본다(나의

뇌피셜이다). 이렇게 식민사학은 뿌리 깊게 박혀있다. 식민사학에 근거하여 자라나는 청소년들에게 우리 역사를 왜곡하여 가르치고 있다고 생각하면 역사학자들의 책임이 무거움을 알고 전력을 다해 막아야 한다.

오강원의 ≪고조선 단군 부여≫책은 동북아역사재단에서 발간한 책이다. 이사장 김정배가 책의 프롤로그를 썼다. 간단하게 살펴보자. "‥‥(중략) 고조선대에 단군왕검을 중심으로 한 지배집단이 자신들의 권위를 신격화시킴과 동시에 국가를 통합시키기 위한 이데올로기적 장치로서 형성되었다는 것도 밝혀졌다.(?) ‥‥(중략) 우리 학계에서 이룩한 성과를 국민들이 간편하면서도 쉽게 접할 수 있도록 하려는 취지에서 이번에 ≪고조선. 단군. 부여≫라는 국민 홍보용 단행본을 발간하게 되었습니다. ‥‥(중략) 바쁘신 와중에도 귀한 시간을 내어 원고를 준 노태돈, 서영대, 조법종, 송호정, 오강원, 박준형‥‥ 깊은 감사를 드립니다."<고구려연구재단>이사장 김정배.

책의 감수를 맡고 발간사까지 쓴 김정배는 박근혜 정부 시절 국사교과서 편찬위원회 위원장을 했고 국사교과서 단일화 작업에도 참여한 원로 식민사학자 중 한 명이다. 동북아역사재단의 설립 배경을 알면 피가 거꾸로 솟을 것이다. 국민 세금으로 운영되는 곳이다. 중국 동북공정에 맞서 연구를 하기 위해 설립한 기관이다. 그런데 그곳에서 출간한 책이 일제 식민사관의 논리와 같은 걸 보면 한 나라의 역사를 담당하는 기관이 중국 사대주의와 일제 식민사관의 논리를 그대로 따라 하니 우리 역사의 미래가 암울하다는 생각이다. 해방 이후 이병도가 뿌려온 씨앗이 무럭무럭 자라 이제는 한국의 역사기관은 물론 학회지까지 장악되어 이들과 반대되는 논리는 설자리가 없음을 알아야 한다. 아마도 이들의 생각은 국민들을 개, 돼지 바보로 알고 마음대로 하는 것이니 우리는 어떻게 해야 하는가?

"≪사기≫ <진시황본기>에 진 제국의 2세 皇帝(황제)가 조고와 더불어 의논하여 말하기를 (···) 봄에 2세 황제가 동쪽의 군현을 순행하니 李斯(이사)가 수행하였다. 갈석산에 이른 다음 바다를 끼고 남쪽으로 회계산에 이르렀으며 (···) "청동과 비석에 새긴 내용에 '시황제' 라는 칭호를 사용하지 않는다면 오랜 세월이 흐른 후에는 그것들을 후대의 황제가 한 것으로 잘못 인식되어 시황제가 이룬 공과 쌓은 덕으로 칭송되지 않게 될 것이오." (···) 신하들은 마침내 요동에 이르렀다가 돌아왔다." (≪사료로 보는 우리 고대사≫ 윤내현. 지식산업사. 68~69쪽)

위 내용에서 두 가지의 사실이 확인된다. 하나는 갈석산이 있는 지역이 요동이었다는 점이고, 다른 하나는 그곳이 진 제국의 국경이었다는 점이다. 진 시황제나 진 2세 황제가 올랐던 이 갈석산은 후에 서한 무제나 동한 말기의 조비(조조 아들)도 올랐던 것으로 지금의 난하 하류 동부 유역에 있는 갈석산이다. 이 점에 대해서는 현재 중국 학계에서 異論(이론)이 거의 없다. 秦 · 漢 시대의 문헌에 나오는 갈석산이 지금의 난하 하류 동부 유역에 있는 갈석산임은 여러 기록들에서 확인된다. 고조선 후기의 서쪽 국경은 지금의 난하 유역과 그 동부 유역에 있는 갈석산 지역이었음이 확인되었다. 다만 위 기록에서 신하들은 "마침내 요동에 이르렀다가 돌아왔다."가 나오는데 고조선 후기의 서쪽 국경을 확실히 이해하기 위해서는 요동의 개념과 지리적 위치를 정확하게 알아야만 한다. 고대 요동과 지금의 요동은 확연하게 다르기 때문이다.

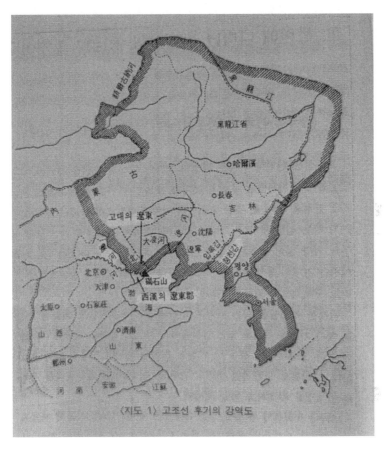

출처:≪고조선의 강역을 밝힌다≫윤내현.지식산업사. 고조선 후기의 강역도.

고조선 후기의 서쪽 국경은 지금의 난하 유역과 갈석산 지역이
었음이 확인되었다. 그렇다면 고조선의 전기와 중기의 서쪽 국
경은 어디였을까? 이 문제에 대해서는 직접적으로 해답을 주
는 기록은 발견되지 않고 있다. 고조선 중기의 서쪽 국경은 고

조선 후기와 마찬가지로 지금의 난하 유역이었거나 그보다 서쪽이었던 것으로 추정된다. "≪사기≫<조선열전>에는 " 한나라가 일어나서는 그곳이(고조선의 국경) 너무 멀어 지키기 어려우므로 다시 요동의 固塞(고새, 방비가 튼튼한 요새)를 패수에 이르러 경계로 삼아 연에 속하게 하였다."라는 내용이 있다. 이 내용은 서한이 고조선과의 국경이 너무 멀어서 지키기 어려워 요동의 고새를 수리해 사용하였음을 말하고 있는 것이다."(≪고조선 연구≫ 윤내현.일지사.2004.)본문중에서

서기전 12세기 경 기자가 중국의 서주로부터 고조선으로 망명을 했던 시기에도 난하 유역이 고조선과 중국의 국경이었다. 서기전 12세기 경이면 고조선 중기에 해당한다. 이는 기자와 관계된 기록들을 통해서 확인된다. 다시 말하면 서기전 12세기 경에 기자가 망명 와 있었던 곳이 서기전 108년에 한 무제에 의해 한사군이 설치될 때는 낙랑군의 조선현이 되었다는 것이다. 그런데 낙랑군 조선현은 지금의 난하유역에 위치해 있었다. 이상과 같이 문헌을 볼 때 서기전 12세기 경에는 난하 유역은 고조선의 강역에 포함되어 있었다.

지난날 한국 사학계에서는 고조선의 강역을 압록강이나 청천

강 이남으로 국한하여 보는 것이 통설이었다. 따라서 만주는 중국의 영역도 고조선의 영역도 아니었다는 결론에 도달하게 되었던 것이다. 고조선의 강역이 청천강 이남으로 국한하여 보는 것은 일제 식민사학자들의 논리였다. 고조선의 강역을 조선 시대에는 대체로 압록강까지 보았으나 이병도에 의해서 청천강설이 제기된 후에는 청천강설이 통용되어 왔다. 별다른 고증 없이 그리고 합리적 논증 없이 한 편의 논문으로 지금까지도 정설, 통설로 여겨지는 것은 참으로 위세가 대단하다는 것을 느낄 수가 있다. 대통령의 교육과 관련되어 킬러 문항을 없애라 하니 교육부장관이 대통령은 교육전문가라고 한다. 더해서 한 수 배우고 있다고 한다. 전문가라는 근거는 교육 관련 수사를 한 적이 있다. 권위적이고 복종만을 강요하는 것은 민주주의가 아니고 민주주의를 파괴하는 것이다.

지난날 일본은 만주에 그들의 괴뢰정권인 만주국을 세운 바 있는데 그 서쪽 국경은 지금의 난하 유역이었다는 점이다. 만주국의 서쪽 국경이 고조선의 서쪽 국경과 동일했다는 것은 우연의 일치였을까? 아니면 일본 학자들은 역사적으로 그 지역이 중국의 영역이 아니었고 고조선의 영역이었다는 사실을 알고 있었던 것은 아니었을까? 그러면서도 그들은 고조선 존재를 부인하여 만주를 한국과 중국의 역사로부터 분리시키고자 한 것은 아니었을까? ≪고조선 연구≫ 윤내현. 일지사. 2004. 209쪽.

중국의 동북공정이나 일제의 식민사관을 극복하기 위해서는 우리 자신들이 역사에 대해 끊임없는 연구에 매진하여 두 국가의 역사왜곡에 대해 단호한 응징이 있어야 하겠다. 우리는 지정학적으로 4대 강국에 둘러싸여 조금만 방심하면 누구에게든 종속될 가능성이 있다. 반대로 우리가 적극적으로 방비를 취할 때는 캐스팅보드를 쥔 국가가 될 수도 있다. 어쩔 수 없는 우리의 숙명이다. 반성하고 또 반성할 일이다. 지금의 상황이 지속된다고 상상해 보라!! 끔찍한 일이 아닌가. 권력을 잡기 위해, 부를 축적하기 위해, 명예를 얻기 위해 저 악다구니를 치는 것을 보면, 아! 인간이기를 포기했구나 하는 생각이 든다. 본인들은 뒤에서 잔머리 굴려가며 어떻게 저놈을 죽일까 하고 생각하면서 꼼수를 부릴 궁리를 할 것이다. 아마도 긴장과 희열을 느낄 것이다.

참으로 나쁘게 열심히 산다. 그래서 뭐 할 건데? 아무것도 아닌 것을 가지고, 별것도 아닌 것을 가지고 손에서 놓지 않는 저 惡力....

(2) 고대 요동의 개념과 지리적 위치

중국 고대사에서 지명을 고증하는 과정에서 쟁점이 되는 문제들 중의 하나가 중국 사서들에 등장하는 '요동(遼東)'을 어떻게 이해할 것인가 하는 것이다. '요동'이라는 지명은 선진시대에 중국 문헌에 처음 등장한 이래로 2000여 동안 지속적으로 사용되었다. 그러나 그 이름의 의미나 유래에 관해서는 이설(異說)이 분분한 것이 사실이다. 어떤 학자는 '요동'이 요원한 동쪽이라는 의미라고 단정적으로 말하기도 한다. 다른 학자는 그것이 '요수의 동쪽' 의미라고 주장하기도 한다. 역사적으로 그위치와 범위가 시대나 상황에 따라 변했다는 주장을 하는 학자도 있다.

대체로 다음과 같이 인식하고 있는 듯하다. 첫째는 중원(산해관)을 기점으로 그 동쪽의 이민족 활동지역이며 둘째는 그 지역에 설치된 지방행정 단위로서의 군의 이름, 이중 어느 쪽이든 간에 '요동'이라는 단어가 일정한 공간적 위치나 범위를 상정하고 있는 것은 분명하다. '′요동'이란 극동이란 뜻을 지닌말이기도 했다. 중국인들은 그들의 영토인 천하의 동쪽 끝을 극동이라는 의미로 요동이라고 불렀다. 일반적으로 고대의 요동과 지금의 요동을 같은 곳으로 생각하는 사람들이 있다. 일부 학자들 중에는 고대 요동을 지금의 요하 유역이나 압록강 유역으로 생각하는 사람이 있는데 이것은 고대 요동의 위치를 잘못 알고 있는 것이다.

'요동'에 관해 고대에는 그 개념이 달랐다. "≪사기≫<진시황본기秦始皇本紀>에는 "진제국의 동북부 국경은 조선에 미쳤고 요동에 이르렀다."라고 기록되어 있다. 위 기록은 두 가지 사실을 말해준다. 하나는 고조선과 진제국이 국경을 접하고 있었다는 것이고, 다른 하나는 고조선과 진제국의 국경 지역에 요동이 있었다는 것이다. 그동안 일부 학자들은 위의 ≪사기≫ 기록을 읽으면서 조선을 한반도로, 요동을 오늘날 요동으로 생각했다. 그렇다면 고조선과 진제국의 국경은 압록강 유역이거나 한반도 북부였다는 것이 된다. 그러나 그렇게 단정하는 것은 잘못이다. 고대에 있어서 조선이나 요동의 위치와 영역이 지금과 다를 수 있기 때문이다." 윤내현≪고조선 우리역사의 탄생≫2016. 만권당.

그렇다면 고대의 요동은 지금의 어느 곳이었을까? ≪사기≫<진시황본기>에는 고대요동의 위치를 확인할 수 있는 기록이

아무도 알려주지 않는 고조선 이야기

있다. 진제국의 2세 황제 때 신하들이 시황제의 송덕비를 세우기 위해 갈석산에 다녀왔다는 기록이 그것이다. 이 기록에서는 갈석산을 요동이라 부르고 있다. "서한 무제가 오늘날 산동성 태산에서 하늘에 봉선(封禪)이라는 제사를 올린 후 해상을 따라 북쪽으로 향해 갈석산에 이르렀다고 기록되어 있다."≪사기≫<효무본기> <진시황본기>에 나오는 갈석산과 서한 무제가 다녀왔다는 갈석산은 모두 같은 ≪사기≫에 기록되어 있고 사마천은 서한 무제 시대의 사람으로 당시의 기록이므로 신빙성이 높다고 할 수 있다.(위 책 102~103쪽) 이 기록은 고조선과 중국 국경지대에 있었던 요동이 북경 근처의 난하유역, 즉 오늘날 요서 서부지역을 가리켰음을 말해준다. 고대의 요동은 오늘날의 요동과는 위치가 달랐던 것이다. 이병도에 따르면 국내 학자들 대부분은 '요동'을 현재의 요하 동쪽만을 가리키는 것으로 이해하고 있다고 한다.

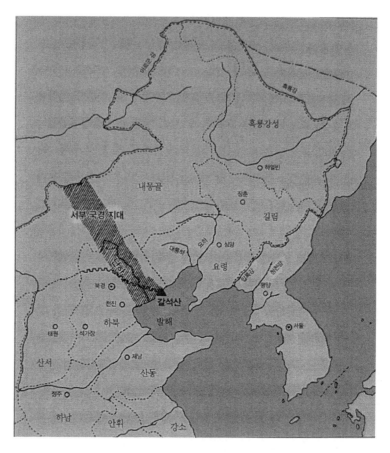

출처:《고조선 우리 역사의 탄생》윤내현. 고조선과 중국의 국경지대

일제 식민사학자들의 지리인식은 역사적 사실과도 동떨어져 있다. 쓰다 소키치, 이마니시 류의 고조선은 한반도의 평양지역에 있는 작은 정치집단으로 매도하는 과정에서 이병도 같은 이들이 그대로 전승해서 해방 후까지 제자들을 통해 전파시키

　　　　　　　　　　　　　　아무도 알려주지 않는 고조선 이야기

는 악순환의 과정을 밟고 있는 것이다. 순수학문으로 연구 목적이 아닌 정치 이데올로기로 일제가 조선 민족의 기를 꺾기 위한 한 수단으로 왜곡, 조작, 날조하는 데에 국내 학자들이 동조하고 있으니, 오늘날 중국은 동북공정 사업을 하는 데 있어서 손 안 대고 코푸는 상황이 되니, 중국 입장에서는 쌍수 들고 환영하는 것이다. 식민사학과 사대주의적인 모습을 보이는 한국 학자들의 모습이 수치스럽고 부끄럽기까지 하다.

≪사기≫에는 오늘날 북경 근처 난하 동부 유역에 있는 갈석산 지역이 요동으로 기록되어 있고, 오늘날 난하가 요수(요하)로 기록되어 있다. 고대의 요수는 오늘날 난하였고 고대의 요동은 난하 유역이었음을 기록으로 알 수가 있다. 그리고 '요동'에 대해 분명한 인식을 가질 필요가 있다. 하나는 다소 막연한 의미를 지닌 일반적 의미의 요동이고 다른 하나는 중국의 행정구역인 요동군이다. 일반적 의미의 요동은 대개 중국 영토 밖을 지칭하고 행정구역 요동군은 그 성격상 중국 영토 안에 있었다. 예를 들면 ≪제왕운기≫에는 고조선의 지리에 대해 설명하면서 요동에는 중국과는 다른 세계가 있다고 말한 기록이 있다. 이 요동은 분명히 중국의 영토 밖에 있는 요동을 말한다. 그런데 ≪한서≫<지리지>에는 서한에 요동군이 있었던 것으

로 기록되어 있다. 앞의 요동은 일반적인 의미의 요동으로 중국 영토 밖에 있었고, 뒤의 요동은 중국의 행정구역으로서 중국 영토 안에 있었던 것이다.

중국을 통일한 진제국이 만리장성을 쌓았다. 이유는 북쪽에 있던 흉노와 동북쪽에 위치해 있던 동호 및 고조선의 침략을 방어하기 위한 것이다. 만리장성의 동쪽 끝부분이 위치했던 곳은 고조선의 서부 국경이 된다. 우리나라 식민사학자들은 만리장성이 만주를 거쳐 압록강이나 청천강까지 이어져 있었다고 주장한다. 이는 역사적 사실과 전혀 다르다. 지난날 우리 식민사학자들이 고조선과 중국의 국경을 청천강 유역으로 본 바 있다. 그렇게 본 것은 오늘날 요동을 고대 중국의 요동군으로, 대동강 유역을 한사군의 낙랑군 지역으로 잘못 알았기 때문이다. 지금도 식민사학자들은 이런 잘못된 견해를 그대로 답습하고 있다. 이러한 사람들이 잘못 전파한 역사가 오늘날 한국 국민들을 고통에 빠뜨리고 있는 것이다.

"현재 만리장성의 동쪽 끝은 난하 동부 유역의 산해관이다. 산해관은 발해만 북쪽에 있는데 거기서 가까운 곳에 갈석산이 있다. ≪사기≫<몽염열전>에는 만리장성이 요동에서 끝났다고 기록되어 있다. 고대의 요동은 오늘날 난하 동부 유역에 있는 갈석산 지역이었음이 확인되었다. 그러므로 만리장성의 동쪽 끝은 갈석산 지역이었던 것이 된다."(윤내현≪고조선의 강역을 밝힌다≫ 지식산업사. 2012. 46~47쪽.)

학자라면 양심 있고 소신 있는 사람이어야 한다는 게 평소 나의 생각이다. 용기 내어 거짓에 대해 증언하는 곧은 학자를 바라는데 나의 지나친 욕심인가. 침묵은 방관자요 범죄라고 생각하기 때문이다. 동북아 역사재단의 오강원 교수의 주장을 들어보면 학계의 폐해를 조금이나마 느낄 수 있을 것이다. "노태돈은 ≪한서≫<지리지>의 문헌기록과 압록강 지류인 애하 하구에서 발견된 "安平樂未央(안평락미앙)" 명문 와편 및 요령 지역에서 발견된 장성유적 등을 통해 당시의 요동군이 현대의 요동지역에 위치해 있었다고 하면서, 관련 기록과 그간의 고고학적인 성과를 토대로 한 패수는 압록강이 되어야 한다고 하였다. 아울러 고대 연나라와의 경계선은 청천강으로 비정하였다. 노태돈의 연구는 문헌의 고증과 고고자료의 활용이 합리적이고 체계적이며 치밀하다는 점에서 기왕에 제출된 견해 중 가장 설득력이 있는 것이다." ≪강원사학≫제13집 합본 66쪽 이정도면 아부와 비굴함이 묻어나는 걸 안 느낄 수가 없다. 참으로 윗사람에 대한 대접이 눈물겹다.

일제 식민사관의 논리인 노태돈의 논리가 주류사학계의 생명 줄이라는 것이 놀랍기만 하다. 노태돈의 주장은 그의 저작 중 하나인 《단군과 고조선사》에 거의 그대로 게재되었다. 물론 지금까지도 그의 학설은 주류학계의 절대적인 지지를 받고 있다. 몰라서 말을 못 하는 것인지 학계의 권력자 눈치를 보느라 그런지 심기가 불편하지 않게 지적을 하는 사람이 없다. 우리 역사학계의 슬픈 현실이고 이런 현상은 역사 학계는 물론이고 국가 발전에도 독이 될 수밖에 없다.

그동안 일부 학자들이 고조선의 서쪽 국경에 대해서 잘못 인식 하고 있었던 원인은 1차 사료를 충분히 공부하지 못했고, 그런 해석 능력도 없었겠지만 사료의 선택이나 해석 등에 있어서도 합리적인 방법을 따르지 않았기 때문이다. 위에서도 말했지만 고조선과 중국의 서쪽 국경은 난하유역과 갈석산 지역이다. 고 조선은 연나라, 진제국, 서한 등 나라가 바뀌는 과정 속에서도 국경은 그대로 접하고 있었다. 그러므로 오늘날 갈석산 지역 이 고대의 요동이었으며 그곳에서 만리장성도 끝났음도 확인 했다. 갈석산에서 시작된 만리장성은 오늘날 난하를 가로질러 서쪽으로 뻗어갔던 것이다. 즉 고조선과 중국의 국경선이 되는 것이다.

(3) 고조선시대의 패수

고조선과 중국 사이의 국경에는 浿水(패수)라는 강이 있었다고 전해진다. 한국과 중국의 옛 문헌에는 여러 개의 浿水가 나타난다. 패수의 위치에 대해서는 아직까지 정설이 없다. ≪사기≫<조선열전>에는 서한이 건국된 후 고조선과의 국경을 그들의 영토 안으로 후퇴시켜 패수를 경계로 삼았다는 기록이 있다. 위만이 서한에서 고조선 지역으로 망명할 때 국경인 浿水를 건넜던 것으로 기록되어 있다. ≪수경≫에는 浿水를 이렇게 소개하고 있다. "浿水는 낙랑의 누방현에서 발원한다. 동남쪽으로 흘러 임패현 지나고 다시 동쪽으로 흘러 바다로 진입한다"

"물은 낮은 곳으로 흐른다. 물의 속성과 원리이다. 한반도는 모든 사람이 알고 있듯이 東高西低(동고서저)이다. 언제부터 이런 지형이 형성되었는가는 한반도가 평탄화 되었던 중생대 백악기 이래로 신생대 제3기 중엽(6640만 년~160만 년)부터 서서히 접히고 솟구쳐 오르기 시작한 것이다. 그렇다 보니 이 운동의 영향으로 한반도는 백두대간을 축으로 동쪽이 높고, 서쪽이 낮은 전형적인 '東高西低'의 지형을 갖기에 이르렀다. '東高

아무도 알려주지 않는 고조선 이야기

西低'의 지형에서 하천들은 대부분 서쪽으로 흘러서 서해바다로 흘러간다." 권동희 ≪한국의 지형≫ 2012. 한솔. p81~85.

패수가 흐르는 땅이 정말 한반도라면, 그 물은 당연히 동쪽에서 서쪽으로 흘러 서해 바다로 유입되었을 것이다. 그러나 실제의 패수는 주류역사학계가 주장하는 대동강이나 청천강과는 전혀 상반된 방향으로 흐르고 있다. 그렇다면 대동강이나 청천강은 고조선과 중국의 국경인 고대의 패수가 아닌 것이다. 이는 단순한 역사지리학적 가설이 아니라 엄연한 과학적 사실이다. 이것이 과학적 사실임을 분명하게 보여주는 증거가 있다. 바로 서기 1~5세기에 저술된 ≪설문해자≫, ≪십삼주기≫의 패수 관련 기록들이다. 패수는 옛 문헌에 여럿 등장한다고 말했다. 중요한 것은 어느 지역의 패수가 고조선과 중국의 국경에 있었는가 하는 점이다.

浿水에 대해서 종래에는 대동강, 압록강, 요하, 청천강 등 다른 의견들을 제출하였다. 특히 대동강을 浿水로 본 견해는 역도원의 비과학적인 패수 고증으로 인하여 지금까지도 국내의 학자들이 과학의 사실에 反 하는 浿水=지금의 대동강이라는 인식을 갖게 된 것이다. 역도원의 ≪水經注≫로 인해 "이병도와 노태돈은 역도원의 견해는 고구려 사신의 말을 따른 것이기 때문에 매우 타당성이 있는 것이라고 주장하고 있다." ≪고조선 연구≫ 윤내현. 일지사. p233. 그런데 노태돈은 대동강을 浿水로 본 역도원의 견해가 타당성이 있다고 주장하면서도 고조선과 중국의 국경이었던 패수는 지금의 청천강이었다는 모순된 논리를 전개하고 있다. 청천강을 고조선과 중국의 국경이었던 패수로 본 견해는 이병도와 한백겸에 의해 제출되었다. 아마도 노태돈은 이병도의 논리를 고수하기 위함인 것 같다.

이 견해는 지금까지 제출된 견해 가운데 고조선의 영역을 가장 좁게 본 것이다. 이병도의 논리는 대동강 유역이 한사군의 낙랑군 지역이었다는 전제로부터 출발하였다. 일본 식민사학자 이마니시 류의 대동강을 列水로 본 견해를 적극적으로 지지하면서 자신의 논리를 전개하였다. 식민사학자들의 논리는 문헌이나 고증을 통해서 밝히기보다는 스승의 논리를 따르는 게 정설 아닌 정설이 됐다.

"고조선 시대에 청천강은 고조선의 남방 거수국이었던 韓과 그 북쪽에 있던 辰의 경계였다. 노씨는 청천강이 고조선과 중국의 국경이었다는 점을 강조하기 위해 청천강을 경계로 하여

아무도 알려주지 않는 고조선 이야기

출토 유물에 차이가 있다는 점만을 지적하고, 그보다 더 중요한 의미를 지닌 유물이 청천강의 남북지역에서 공동으로 출토된다는 사실은 언급하지 않고 있다. 그것은 비파형동검의 출토 상황이다. 비파형동검이 고조선의 대표적 유물이라는 점은 이미 잘 알려진 사실이다. 이것은 지금 요서지역으로부터 한반도 남부 해안 지역에 이르기까지 전 지역에서 출토된다.

노씨는 또한 아주 중요한 사실을 언급하지 않고 있다. 그것은 북경 근처에 있는 난하를 경계로 하여, 그 동쪽과 서쪽의 출토 유물이 전혀 다르다고 하는 점이다. 난하를 경계로 하여 그 동쪽에서는 황하유역의 청동기문화인 이리두문화와 商 문화와는 성격이 전혀 다른 초기 청동기문화인 하가점하층문화가 서기전 2500년경부터 시작되어 이것이 서기전 16세기~14세기년 경부터는 비파형동검문화로 발전한다. 이와 같이 청동기문화가 초기부터 난하를 경계로 하여 동쪽과 서쪽이 완전히 다른 성격을 보여준다고 하는 것은 난하를 경계로 하여 그 동쪽과 서쪽이 각각 다른 정치적 지배세력이 존재하고 있었음을 말해주는 것이다.”≪고조선연구≫윤내현.일지사 p241~244.

출처:《고대조선,끝나지 않은 논쟁》이도상.2015. 들메나무.

그리고 또 다른 견해는 대릉하를 패수로 본 것이다. 이는 최동, 리지린에 의해 제출되었다. 리지린은 고조선과 중국의 국경을 원래 지금의 난하였으나 연나라의 진개 침략으로 고조선의 서부 영토가 크게 줄어들었을 거라 보고 서한이 고조선과의 국경을 삼았던 패수는 지금의 대릉하였을 것으로 주장하였다. 북한 학계에서는 대릉하를 패수로 보는 견해가 주류를 이루고 있다. 윤내현 교수와 리지린의 주장은 다르다. 윤내현은 난하를, 리지리은 대릉하를 고조선과 중국의 국경의 강으로 보고 있는 것이다. 윤내현은 1994년에 ≪고조선 연구≫를 발표하였고, 리지린은 1963년에 ≪고조선 연구≫를 발표했는데 공교롭게도 제목이 같다.

1995년 6월. ≪역사학보≫146집에 <리지린과 윤내현의 '고조선연구'비교>가 실렸다. 저자는 이형구이다. ≪역사학보≫는 역사잡지로서 대한민국 최고·최대를 자랑한다. 1952년에 3월에 창립된 역사학회의 기관지로 1952년 9월에 창간호가 발간되어 오늘에까지 이어지는 유구한 잡지이다. 이 학회는 기관지인 ≪역사학보≫와 더불어 이병도의 제자들(김철준, 한우근, 이기백 등)을 주축으로 한 주류사학계의 본거지이다. 북한의 대학자 리지린과 남한의 대표적인 고조선 학자 윤내현을 비교한다니, 사뭇 유익해 보이기까지 하다. 제목이 같으니 양자를 비교한다는 것은 자연스럽고 학문발전에 도움이 될 것으로 보인다. 하지만 이 논문은 윤내현이 리지린을 표절했다는 고발문이다. 여기에서 이기백의 제자인 이기동은 뉴라이트 역사교과서 지지자이고 황장엽의 말을 인용해 북한학계의 단군릉 발견이 김일성의 지시라고 억측했던 그 이기동이다. 이기동은 윤내현을 리지린 표절자이자 빨갱이로 몰아붙인 막후의 장본인이라고 한다. 이기동 같은 거물이 부추기거나 허락했기 때문에 이형구의 논문이 ≪역사학보≫에 실렸던 것이다.

이 일로 윤내현은 안기부에 끌려가 고초를 겪기도 했다. 1950년대 미국의 매카시즘이 연상되기도 하고 현재의 극우보수자들의 문재인 빨갱이가 생각난다. 정말로 지긋지긋하다. 분단국가의 슬픔이라고는 하지만 휴전 70년이 넘어 아직도 이데올로기가 지배하는 이 한국의 노년 세대가 진짜로 싫다. 여기에 동조하는 넋빠진 젊은 세대를 보면 한국의 미래가 암울하다. 언젠가는 극복되리라 희망을 가져본다. 1950년대의 냉전사고 방식에서 벗어나지 못하고 있는 지금의 국힘과 윤의 사고는 대한민국의 발전에 도움이 되지 않는다. 로봇이 사람을 대체하고, 레이저로 수술하고, 스마트한 도시, 우주로 로켓을 쏴 올리는

아무도 알려주지 않는 고조선 이야기

한국. 자기들 기득권을 위해 나라를 혼란스럽게 하고 뒤로 후퇴시키는 일은 세계의 흐름에 역주행하고 있으니 그 결과는 뻔하다. 그들의 자멸이다.

요즈음은 남한 역사학계도 고조선을 만주와 연관시켜 연구하는 것이 보편화되어 있는 것 같다. 이러한 분위기는 그간의 여러 주장들이 논쟁과 학문연구를 통해 많이 형성되었다. 서로의 주장들을 대립된 것으로 보기보다는 서로 보완하고 발전을 이루는 요소로 봐야 할 것이다. 역사는 사실을 복원하는 것이다. 바르게 연구되어 같은 결론에 도달해야 한다. 사실은 하나이기 때문이다. 패수 문제도 마찬가지로 지금은 각각의 주장이 다르지만 서로 간 더 연구 보완해서 같은 결론을 낼 수 있도록 힘써야 할 것이다. 이제부터라도 서로 부족한 부분을 메워나가고 의심되는 부분은 학술적으로도 치열한 논쟁을 하는 그런 건전하고 학문적으로 보다 성숙한 모습을 보여주는 게 서로의 발전을 위해서 좋다고 생각한다. 같은 결론을 도출하는 것이 쉽지 않을 것이다. 하지만 할 수 있는 것이 우리다. 긴 여정이 될 것이다.

(4) 고조선의 도읍지 변천

고대 사회에서 도읍은 정치, 경제, 사회, 문화 등의 중심지였다. 물론 현대 사회에서도 그 나라의 도읍은 모든 분야의 중심지이다. 고조선도 마찬가지였을 것이다. 한 나라의 수도는 국가의 심장과도 같아서 수도를 이전한다는 것은 그리 간단한 문제가 아니다. 천도를 할 수밖에 없었던 그 당시의 영토 변화나 정치 상황들이 복잡하게 얽혀 있을 것이다. 그런 중요한 문제가 어제의 일도 아니고 수천 년 전의 사건이기 때문에 도읍의 변천과 그 이동 과정을 추적한다는 것은 상당히 어려운 일이 될 것이다. 그러려면 확실하고 정확한 문헌 고증을 통해 밝혀야 할 것이다. 종래의 연구는 고조선의 중심 세력은 중국으로부터 만주를 거쳐 한반도로 이주하였을 것으로 보았다. 그 결과 한국과 중국의 고대 문헌에 나타난 고조선의 도읍지와 그 이동에 관계된 기록이나 고고 자료가 바르게 해석되지를 못하였다.

≪삼국유사≫에서 일연은 ≪고기≫를 인용해 고조선의 도읍지가 평양성·백악산아사달(白岳山阿斯達)·장당경(藏唐京)·아사달이었던 것으로 전하고 있다. 이 기록에 따른다면 고조선

아무도 알려주지 않는 고조선 이야기

은 세 번 천도한 것이 된다. ≪삼국유사≫에 나타난 기록과 중국 문헌에 나타난 기록을 통해 고조선 도읍지의 위치를 추적해야 된다. 그 위치를 추적하다 보면 당시의 역사적 상황에 따른 천도의 사유와, 그 결과에 따라서는 기자국과 고조선의 관계가 한층 더 정확하게 드러날 것이며 기자국과 위만조선의 도읍지도 확인될 것으로 보인다. 그리고 중국 문헌에는 고조선의 도읍지였을 것으로 추정되는 儉瀆(險瀆)이라는 지명이 만주에 세 곳이었던 것으로 나타난다. 고조선의 도읍지나 중심지 변천에 관한 연구는 당시의 영역 변화나 정치 상황을 알 수 있는 중요한 자료가 될 수 있다.

"중국의 ≪한서≫<지리지>, ≪요서≫<지리지>, ≪대청통일통지≫ 등에서는 고조선의 도읍지였을 것으로 추정되는 지명들이 나온다. 그것은 험독(險瀆)이라는 지명이다. 중국의 옛 문헌에는 험독에 대해 한결같이 위만조선의 도읍 또는 옛 조선의 도읍이었다고 말함으로써 험독이 고대 도읍지의 명칭임을 말하고 있다. 중국에서는 도읍을 험독이나 검독으로 부른적이 없다. 따라서 험독이나 검독은 우리 민족이 세운 고대국가의 도읍이었을 것임을 알 수 있다." 윤내현≪고조선, 우리 역사의 탄생≫만권당. p241

≪고기≫에서는 고조선의 도읍 이동경로를 자세하게 설명하고 있다. 영토 내에서 도읍을 여러 번 옮긴다는 것은 고조선의 영토가 넓었을 것으로 추측이 된다. 지난날 일부 학자들은 고조선을 조그마한 나라로 평가했기 때문에 고조선의 도읍 이동은 관심이 없었다. 기자가 주나라를 피해 고조선으로 망명을 한다. 이 일을 계기로 고조선은 도읍을 장당경으로 옮긴다. 장당경에서 아사달로 돌아와 산신이 되었다. ≪위서≫에서는 아사달로 도읍을 정했다고 했다. ≪고기≫에서는 아사달로 돌아왔다는 표현을 했다. 이로 보아 고조선은 첫 번째와 마지막 도읍은 아사달이었을 가능성이 크다. 도읍을 옮겼다는 것은 그 시대 상황이 순탄하지 않았음을 말해주는 것이기도 하다. 국제 정세와 관계, 혹은 여러 상황이 복합적으로 얽혀 있을 수도 있겠다고 볼 수 있다.

고조선의 도읍 명칭에 관하여 중국 문헌에 보이는 험독은 중국 학자들도 험독을 도읍 명칭으로 이해하고 있다고 한다. 험독은 고대에 한민족이 활동했던 만주지역에서만 보이며 황하유역에서는 보이지 않는다. 중국인들이 험독이라 부르는 지명을 한민족은 검독(儉瀆)이라 불렀다. 검독은 '고조선의 통치자가 거주했던 터'라는 뜻일 것이라고 보고 있다. 그런데 고조선의 도읍 명칭에 왕검성은 보이지 않는다. 왕검성은 위만조선의 도읍이었다. 고조선과 위만조선의 도읍 명칭이 다르다는 것은 고조선과 위만은 같은 곳에 있지 않음을 말해주는 것이다. 그렇다면 왕검성의 위치를 확인해 보면 알 수가 있겠다.

≪한서≫<지리지>를 보면, (낙랑군) '조선현'에 대해 '응소'는 주나라 무왕(武王)이 기자를 조선에 봉했다고 말했다 고 주석을 달아 놓았다. ≪진서 晉書≫는 중국이 魏 위, 蜀 촉, 吳 오로 나뉘어 있던 삼국시대를 마감하고 통일을 이루었던 진晉나라의 역사서이다. ≪진서≫<지리지>에도 (낙랑군)'조선현'조의 주석에 조선현은 주나라가 기자를 봉한 땅이었다고 기록되어 있다. 이것은 ≪한서≫<지리지> (낙랑군) '조선현'조에 '응소'가 "무왕이 기자를 조선에 봉했다"라고 주석한 것과 같은 뜻이다. "응소는 東漢 동한의 학자로서 ≪漢官儀한관의≫ 등을 저술한 제도에 밝은 학자이다. 기자가 망명한 시기는 서주 초로서 서기전 1100년 무렵이고 한사군의 하나인 낙랑군은 서기전 108년에 설치되었으므로, 옛날 서주 초에 기자가 망명하여 정착했던 조선은 뒤에 한사군의 하나인 낙랑군은 조선현이 되었다는 것이다."≪사료로 보는 우리 고대사≫윤내현.지식산업사.2013.

지난날 일본 식민 사학자들은 낙랑군이 지금의 평양(대동강) 이었을 것으로 인식했다. 그들은 고조선의 영역을 축소하기 위해 한사군이 한반도 내에 있었다고 주장한다. 현재에도 일부 국내 학자들은 역사고증이 잘못된 이 이론을 추종하고 따르고 있다. 그리고 유학이 정치와 학문의 지도이념으로 자리 잡으면서 모화사상이 팽배해져 기자를 조선에 봉했다는 기록을, 바로 기자가 고조선의 통치자가 되었다는 뜻으로 이해한듯하다. 기자가 망명했던 곳을 찾기 위해서는 낙랑군의 조선현 위치를 확인하면 된다. 이 기록들을 보면서 우리 역사학계가 바른 역사학을 갖기 위해서 부단한 노력을 하지 않으면 안 되겠다는 비장한 마음이 들었다. 식민사학과 모화사상에 젖은 우리 역사학자들 참으로 큰일이 아닐 수 없다. 역사는 사실을 복원하는 작업이기 때문에 오직 진실 하나이어야만 한다.

아무도 알려주지 않는 고조선 이야기

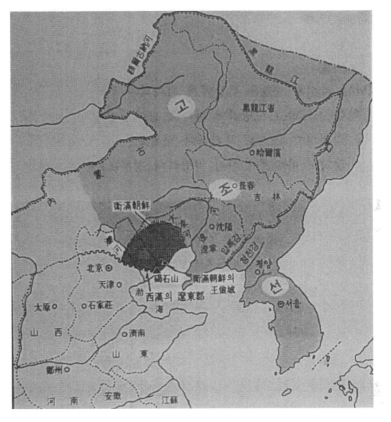

출처:≪사료로 보는 우리 고대사≫윤내현.지식산업사. 위만조선 위치도

기자는 고조선으로 망명하여 거주했던 곳이 난하 하류 지역이
었다. 기자는 고조선의 거수국(제후국)으로 지냈다. 위만은 기
자의 40대 후손인 준왕으로부터 영토를 빼앗아 그 자리에 위
만국을 건국한다. 도읍인 왕검성도 자연히 이 지역에 있었을
것이다. ≪태강지리지≫는 쯥(진)시대의 지리서이다. 이 책에

낙랑군 수성현에 갈석산이 있다고 했다. ≪한서≫<지리지>를 보면, 수성현은 조선현과 더불어 낙랑군에 속해 있었던 현 가운데 하나이다. 그러므로 한사군의 하나인 낙랑군은 갈석산 지역에 있었고 그 지역에 조선현도 자리해 있었을 것임을 알 수 있다. 고조선의 도읍지이었을 가능성이 있는 곳은 만주에 있는 험독 세 곳과 한반도에 있는 지금의 평양이다. 고조선의 도읍지 이동이 있었던 것은 위만의 영토확장과 그 뒤 한나라가 위만국을 멸망시키고 그 자리에 한사군 설치로 인해 고조선의 도읍지가 이동할 수밖에 없었다. 시기적으로 고조선은 후기에 해당하면서 초기와는 달리 국력이 그만큼 쇠락했다는 뜻이기도 하다. 고조선의 중기 무렵 기자의 망명부터가 쇠락의 발단이지 않을까 생각한다.

중국 문헌의 기록을 보면, 서한은 위만조선을 멸하고 서기전 108년에 낙랑군, 임둔군, 진번군 세 개의 군을 설치하고 1년 뒤인 서기전 107년에 현도군을 설치하였다. "이것은 낙랑군, 임둔군, 진번군은 위만조선의 영토 안에 설치되었고, 현도군은 그 밖에 설치되었음을 알 수 있다."≪고조선 연구≫<위만조선과 한사군의 위치>윤내현.1994.일지사.p358.

위 기록을 보면 한사군은 한반도 내에 있지 않음을 알 수 있

아무도 알려주지 않는 고조선 이야기

다. ≪사기≫<조선열전>도 그렇고 윤내현의 문헌 고증도 그렇고, 한사군은 한반도 내에 있지 않았음을 말하고 있다. 그런데 조선총독부는 "낙랑군은 평양 일대로 비정하고 한사군은 한반도에 있었다."라고 확정한다.

우리나라의 역사학계는 친일 식민사학자들이 권력을 쥐고 역사를 농단하고 있다는 게 우리에게는 불행이다. '역사적폐', '검찰적폐', '국방적폐', '교육적폐' 등 사회의 적폐 가운데, '역사적폐'는 한국 현대사의 불행의 씨앗이기도 하다. "위만조선은 그 왕검성(왕험성)이 현재의 평양시 대동강 북안에 있었는데, 이는 위만조선과 한의 경계 역할을 한 패수가 지금의 압록강이라는 점, 위만조선의 도읍 부근에 설치된 낙랑군 조선현의 위치가 지금의 평양시 대동강 남안의 토성동 토성이라는 점, 왕험성과 조선현과 깊은 관련이 있는 것으로 알려져 있는 열수가 지금의 대동강으로 비정되고 있다든지 하는 점을 통해서 입증된다."(동북아 역사재단 누리집)

위 글 중 '입증된다'라고 말한다. 누가 입증했냐는 것이다. 일제 식민사학자들이다. 평양 일대가 한사군의 중심지였던 낙랑군 지역이라고 입증한 것도 식민사학자들이다. 쓰다 소키치는 패수를 압록강이라고 했고, 이병도는 스승보다 한 술 더 떠 한국사에 불리하게 아예 더 남쪽에 있는 청천강이라고 했다. 고조선과 한의 국경인 浿水(패수)를 압록강이나 청천강으로 보는 것은 한국 주류사학계의 정설이다. 동북아역사재단은 국가기관이다. 국민의 혈세로 운영되고 있다. 그런데 이곳의 수장들을 친일적인 인물로 앉히고 있으니 할 말을 잃게 만든다. 우리 민중들이 역사에 관심을 갖고 있지 않으면 그들은 민중들을 개, 돼지로 보고 자기들 마음대로 역사를 왜곡하고 국민들의 혈세를 자기 주머니에 있는 쌈짓돈으로 보고 마음대로 헛되이 쓰니 복창 터질 일이다.

친일적인 인물들이 역사를 왜곡하고 마음대로 농단을 해도 "일반 대중은 이 사실을 모른다. 또한 알 필요도 없고 알아서도 안된다. 전문가인 우리가 결론을 내리고 그대로 가면 된다." 민중인 개, 돼지는 아무 생각 없이 그대로 따라가면 된다. 참 친절한 사람들이다. 하지만 흘러온 역사에서 '개', '돼지', '노예', '무지한 대중'이 왕조를 멸하고 제국을 몰락시키며 세상을 갈아엎었다. 역사 전문가라고 자처하시는 식민사학자분들 잊지 마시라. 맹자도 역성혁명을 말했다. 일엽편주인 당신들 그대들이 바다인 양 착각하지 마세요. 바다가 노하면 일엽편주는 흔적도 없이 집어삼킬 수 있다.

뒤집혀서 세상이 뒤바뀌면 당신들 후손까지 부끄럽고 수치스러운 나날들을 보낼 것이다. 역사는 정의와 진실만을 원한다. 바다가 평온한 것 같이 보여도 밑에서는 큰 해류가 유유히 장대하게 흐르고 있다는 것을 알아야 할 것이다. 폭풍전야의 시점이다. 우리 미래의 청소년들은 대한민국의 기둥이요, 차후 대한민국을 이끌고 갈 소중한 자산들이다. 이들이 자기의 역사를 잘못 인식하고 성장해 나간다고 봤을 때 우리의 미래는 암담하다. 이들의 교육을 이 지경까지 오게 만든 것은 기성세대의 잘못이다. 물욕에 눈이 멀어 정신이 피폐해져 좀비가 되고 있다. 중국 사대주의자, 미국 숭배자, 일제 식민사관주의자 우리 사회의 지독한 암덩어리들이다. 이들을 제거하려면 우리가 민주주의를 더욱 발전시키고 특히 정신이 살아 있어 항상 깨어 있는 삶이 되어야 한다. 태풍의 계절이다.

제 2 장
고조선의 정치와 통치

1. 고조선의 국가구조

고조선은 많은 거수국을 거느린 거수국제국가(渠帥國制國家), 중국식으로 말하면 봉국제국가(封國制國家)였다. 이는 《시경》 <한혁>편과 《제왕운기》는 고조선이 많은 거수국을 거느린 국가였음을 전하고 있다. 동아시아의 고대국가는 마을연맹체들이 통합되어 형성되었다는 보편적 사실과도 일치한다. 고대중국의 周(주)나라는 商(상)나라를 멸하고 나라를 세웠다.(BC 12세기경) 주나라는 지방분권체제로 나라를 다스렸는데, 각 제후들에게 통치권을 위임하여 그 지역을 다스리게 하였다. 이를 봉국제국가라고 한다. 이 체제는 중앙정부가 힘이 있을 때는 잘 운영이 되지만 힘이 약할 때는 각 제후들이 패권을 차지하기 위해 들고일어나는 사건이 발생한다.

중국 역사에서 이를 두고 春秋戰國時代라고 부른다. 각각의 제후들이 자신이 패자라 칭하며 천하를 통일하여 패권국가가 되기 위하여 하루도 전쟁이 그칠 날이 없었다. 이런 혼란스러운 시기에 세상을 구하고자 諸子百家(제자백가)가 나타난다. 공자, 맹자, 순자, 한비자, 묵자 등 결국은 한비자의 法家思想을 선택한 서쪽의 秦(진) 나라가 천하를 통일한다.(BC 221년) 세계사적으로 볼 때 이 시기를 축의 시대라 불리기도 한다. 독일 철학자 칼 야스퍼스가 구분한 시대 개념. 대략 기원전 900년 경부터 200년경 사이의 시대를 (통칭 '위대한 시대') 뜻한다. 이 시기에 인도에서는 석가모니의 불교, 고전 힌두교가 생겨났고, 팔레스타인 지역에서는 유대인들 사이에서 아브라함교(유대교,기독교, 이슬람) 헤브라이즘의 기원이 될 엘리야, 이사야, 에레미아와 같은 선지자가 활약한다. 중국에서는 철학과 종교의 대표적인 시작들이 이 시기에서 비롯되며 공자, 노자, 맹자, 장자 등 다양한 철학자들과 학파가 나타났다.

이란에서는 차라투스트라가 전 우주의 작용이 선과 악의 투쟁의 결과물이라는 주장을 하며 고전 이란의 종교로 위치할 조로아스터교를 창시했다. 그리스에서는 헬레니즘으로 이어질 호메로스와 탈레스, 헤라클레이토스, 소크라테스, 플라톤, 아리스토텔레스 등의 소피스트 철학자들이 활약했고 투키디데스 등의 학자들이 나타났다. 몇 세기에 이 모든 대표적인 고대의 지식인과 학자들이 그리스, 중국, 인도, 중동 지역 등에서 독립적으로 그리고 거의 동시에 나타난 것이다. 야스퍼스는 이 시기에 등장한 새로운 사상과 철학은 직접적 문화교류 없이 서

아무도 알려주지 않는 고조선 이야기

로 독자적으로 발생했다고 주장했다. 인류는 이후 정신적이고, 사회적인 위기의 시대에 사람들은 늘 축의 시대의 현자들을 돌아보며 길을 찾곤 했다. 서로 교류가 없던 네 지역에서 어떻게 비슷한 시기에 그토록 놀라운 사유의 혁명이 일어날 수 있었을까? 인류사의 수수께끼라 불리는 이 놀라운 문화적 평행현상을 어떻게 설명할 수 있을까? '인간이란 무엇인가'?, 신화적 인식에 대한 이성의 투쟁이 처음 시작되고 인간의 윤리적 각성과 철학적 성찰이 폭발하던 시대….

고조선 시대는 지방분권적인 체제로 운영되었고, 마찬가지로 중앙정부, 즉 단군이 힘이 있을 때는 통치가 쉽지만 힘이 없을 때는 나라가 흔들리기 시작한다. 그래서 힘만을 가지고는 통치가 어렵기 때문에 통치자들은 종교와 혈연으로 통치의 한 수단으로 찾아낸다. 종교는 무력과 더불어 고대사회를 지배하는 가장 중요한 수단이었다. 고대사회에서는 종교가 정치위에 있어서 사회를 지배했기 때문에 당시로서는 종교를 이용한 것은 매우 자연스럽고 효과적이었다고 할 수 있다. 그래서 단군도 제사장을 겸했다.

"종교가 고대사회를 지배하고 있었음은 세계 어느 지역에서나 고대의 인류 역사가 신화로 전해 내려오고 있다는 사실에서 쉽게 알 수 있다. 고대인들은 만물에는 영이 있다고 믿었고, 따라서 만물은 신으로 인식되었다. 그리고 인간 만사는 신의 섭리에 따라 전개되는 것으로 믿었기 때문에 사람들이 체험했던 것들을 사람들의 이야기로 전하지 않고 그것을 섭리했다고 믿었던 신의 이야기로 전했던 것이다. 그것은 고대인들에게 과학이었다."《고조선 연구》윤내현. 1994. 일지사. P581. 고대인들에게 종교는 선택이 아니었다. 구석기시대부터 종교에 관한 의식은 있었다. 조상숭배로부터 Animism으로, 토템이즘 이러한 종교의식이 고대사회를 지배하고 있었다. 우리 민족에게는 단군사화가 전승되어 왔다. 단군사화속에 등장하는 환웅과 곰, 호랑이도 고대인들의 종교의식이 반영된 것이라고 윤내현 교수는 말한다. 하느님을 수호신으로 숭배했던 환웅족과, 곰을 수호신으로 숭배했던 곰족, 호랑이를 숭배했던 호랑이족이 고조선을 구성하고 있었다.

<단군조선은 역사가 아닌 신화일 뿐>이라는 제목으로 송호정 교수는 한국일보와 인터뷰를 했다. 그 내용을 보면 "많은 사람들이 고조선을 단군조선으로 알고 교과서까지 버젓이 기록하고 있지만 이는 부정확한 기록과 상상에 의거한 몰상식이자 소설"이라며 재야사학자의 주장과 정부의 눈치 보기를 통렬하

게 비판했다. 게다가 "고대국가 성립 시기는 청동기시대(서기전 10세기)로 보는 것이 정설인데 그보다 훨씬 전에 국가가 등장했다는 것은 있을 수 없다. 고조선의 실제 성립시기는 先秦의 문헌인 《관자》의 관련 기록에 나오는 서기전 7~8세기로 봐야 한다는 것이다." 그는 또 "제 주장에 대해 중국 학계의 시각에 기울었다거나, 이병도 교수 등의 식민사관의 아류라는 비판이 있다는 것도 알고 있다며 하지만 한국사도 동양사, 나아가 세계사라는 보편적 틀 속에서 보아야 제대로 의미가 있는 것 아니냐고 되물었다." 송호정 교수는 "단군조선은 신화의 영역일 뿐 역사연구의 대상은 아니다"라고 잘라 말했다.

출처:《한국고대사와 한중일의 역사왜곡》문성재. 우리역사연구재단.
〈1931년 평남 대동군 남정리 낙랑고분 발굴현장 평양지역 고분들은
한나라 고분들과는 확연한 차이를 만든다〉

윗글에서 주장하는 내용은 식민사학자들의 定說로 내려오고
있다. 그들은 定說이라는 틀을 만들어 놓고 새로운 유적, 유물
이 나와 사실이 밝혀져도 定說이라는 틀 속에 넣어 틀렸다고

아무도 알려주지 않는 고조선 이야기

판별한다. 이미 문헌 고증은 물론 고고학적 유물은 서기전 24세기까지 올라가는 증거가 있음에도 불구하고 요지부동으로 꿈쩍도 하지 않는다. 대체 누가 이 정설을 만들었단 말인가? 어떤 근거와 증거로 정설이라고 말하는가? 실제 여기에 대한 대답은 없다. 오직 선배들의 논증이 聖書요 神인 것이다. 이들을 깨부술 수 있는 방법은 오직 하나다. 국민들의 역사의식이 높아지고 역사에 관심을 갖고 지속적인 감시를 통해 그들의 허튼소리에 놀아나지 말아야 한다. 그러면 그들의 설자리도 없어질 것이다.

《詩經》은 중국에서 가장 오래된 고전으로 西周 시대부터 春秋시대까지의 詩들을 모여 놓은 책이다. 그 가운데 <韓奕,한혁>편은 韓候(한후)라는 인물이 서주 황실을 방문했을 때 서주 황실에서 그를 환대했던 내용이다. <한혁>편의 주인공인 한후는 고조선의 단군을 가리킨다. 서주 황실에서는 그를 한후라 불렀던 것이다. 그러나 이것만으로는 한후가 누구인지 알 수가 없다. 그러나 東漢시대 왕부가 지은 《잠부론》에 <한혁>편의 주인공인 한후에 대해 설명이 실려있어 그가 고조선의 단군이었음을 알 수 있다. 왕부는 한후가 기자조선과 위만조선의 동쪽에 있었던 나라의 통치자였다고 말하고 있는데, 기자조선과 위만조선의 동쪽에 있었던 나라는 고조선이었던 것이다.

고조선은 많은 거수국을 거느리고 있다고 말했는데 옛 문헌에서 확인되는 거수국은 부여, 孤竹(고죽), 고구려, 예, 맥, 추, 진번, 낙랑, 임둔, 현도, 숙신, 청구, 양이, 양주, 옥저, 기자조선, 辰(진), 비류, 개마, 구다, 三韓 등이다. 이 가운데 고구려, 고죽, 부여, 예, 맥, 기자조선 등은 오늘날 요서 지역에 위치했고, 진, 비류, 개마, 구다, 조나, 주나, 韓 등은 오늘날 요하 동부의 만주와 한반도에 위치했다. 실제는 이보다 훨씬 많은 거수국이 있었을 것이다. 하지만 남은 거수국은 역사에 남을 만한 사건과 관련을 갖지 못한 거수국은 기록에 남아 있지 않아서 확인할 길이 없는 것이다. 여기서 알 수 있는 것은 고조선은 강역이 한반도와 만주를 아우르는 광대한 영토를 보유한 강대국이었음을 알 수 있다. 이는 고구려까지 이어져 내려온다.

고조선부터 시작한 한민족은 고구려, 발해, 삼국시대, 고려, 조선을 거쳐 면면이 내려왔다. 조선이 망하고 일제강점기라는 치욕을 겪었지만 독립의지는 꺾이지 않았다. 해방 후 일제강점기 시절 일제에게 부역하거나 나라를 팔아먹은 매국자들을 시원하게 처단했어야 하는데 그렇지 못한 것이 오늘날까지 사회

　　　　　　　　아무도 알려주지 않는 고조선 이야기

의 암덩어리로 기생하며 이 사회의 기득권이라는 세력으로 남아 부패와 부정으로 얼룩지게 만들고, 나라의 국격을 떨어뜨리는 짓들을 하고 있다. 그들의 죄는 차고도 넘친다. 중요한 것은 이 상황을 빨리 끝내야 한다. 그렇지 않고 시간이 조금 더 흐른다면 이 나라는 엄청난 혼란에 빠질 것이다.

권력에 취한 사람치고 권력을 그냥 놓지 않는다. 한마디로 깽판을 칠 것이다. 전쟁을 일으킨다거나, 비상계엄을 선포해서 공포와 불안, 억압적인 나라로 만들 것이다. 한마디로 물귀신 작전을 할 것이다. 술 한잔 먹고 취한 상태에서 명령을 내린다면 누가 감당할 것인가? 그런 징후는 여러 곳에서 봤다. 술 먹고 행사에 참석한다거나 국정운영은 안중에도 없다. 오직 권력 놀음에 빠져 있을 뿐이다. 내가 왕이로소이다. 그 누가 막을 것인가? 대중· 민중·국민 뿐이다. 이재명도 문재인도 못한다. 난 오직 나라를 걱정하는 마음으로 생병 앓이를 하는 民草다.

누구 편도 아니다. 오직 나라와 민족뿐이다.

(1) 고조선 국가구조의 기초단위

고조선은 많은 거수국을 거느린 국가였다면, 그 거수국을 이루는 사회의 기초단위는 무엇이었을까? 안타깝게도 고조선에 대한 직접적인 기록이 충분하지 못하다. 그래서 이를 알기 위해서는 고조선과 같은 시대의 인접지역 상황을 살펴보는 게 좋을 듯하다. 그 당시 인접된 지역으로는 중국이고, 중국의 고대사회가 좋은 사례가 될 것이다. 중국은 만주 및 한반도와 같은 위도상에 있고, 자연환경도 비슷하고 농경문화를 바탕으로 이루어져 있어서 고조선의 사회구조와 비슷할 것이기 때문이다. 중국은 은 나라의 갑골문을 비롯하여 고대의 기록과 고고학 자료도 풍부하여, 자료의 부족으로 어려움을 겪고 있는 고조선을 연구하는데 좋은 사례가 될 수 있을 것이다.

중국의 고대국가가 봉건제였음은 현재는 잘 알려져 있다. 그러나 중국도 갑골문이나 고고학 자료에 대한 충분한 연구가 없었던 시기에는 중국의 초기 국가가 어떤 형태였는지에 대해서 전혀 알지를 못하였다. 하지만 西周는 封建制國家(봉건제국가)였다는 점만을 학계에서 공인을 하였는데 이유는 중앙에 최고 통치자인 왕이 있고, 그 아래 지역을 다스리는 제후가 있는 봉건제국가였음이 문헌에서 분명히 확인되기 때문이었다. 그러나 西周(서주)보다 앞선 商(상)에 대해서는 아무런 지식이 없었다. 그 후 갑골문이 해독되면서 갑골문의 기록 가운데 邑(읍)자가 보이고, 그것이 갑골문상에 보이는 사회의 기초단위로 파악되자 읍이 바로 국가였을 것이라는 견해가 학계에 제출되기도 했었다. 이는 서양의 고대국가는 도시국가였다는 점에 기초를 둔 것이었다.

그 후 갑골문에 대한 연구가 진전되면서 상나라도 서주와 비슷한 봉건제국가였다는 사실이 밝혀지게 되었다. 갑골문과 청동기 등 고고학 자료의 증가와 그에 대한 연구가 활발하게 진행되면서 봉건제국가인 상의 국가구조가 구체적으로 밝혀지기도 하였다. 갑골문에서는 많은 읍들이 보이는데, 이것은 사람이 거주하는 취락 즉 마을을 뜻하고 있음이 확인되었다. 그러니까 읍은 서양과 같은 도시국가가 아니고 상나라의 영역 안에 있는 마을들이었던 것이었다. 그리고 갑골문에는 보통 읍과는 다르게 大邑이 보이고 있는데 그것은 일반 읍보다는 그 규모가 크지 않았을까 하는 생각이다. 대읍에는 제후가 살고 있었다. 그곳에서 종교의식인 제사도 행해졌다고 한다. 대읍의 제후들은 중앙의 상왕에 대해서 공납·군사동원·종교의식의 대행 등 여러 가지 의무를 지고 있었다.

商 나라 국가구조의 기층을 이루는 단위는 '읍'이 있고, 그 위에는 '대읍' 즉 큰 마을이 있었으며, 그 위에 상왕이 거주하는 '都邑'(수도를 말함)이 있었던 것이다. 이러한 국가구조를 이루는 상의 봉건제는 서주에 의해서 계승되었는데, 서주에서는 혈연에 의한 宗法制(종법제)를 그 기초로 삼아 身分世襲制化(신분세습제화)했다는 점에서 商시대와는 차이를 보이고 있다. 이러한 봉건제의 국가구조는 동아시아 농경사회 고대국가의 특징이었다. 이렇게 동아시아의 고대봉건제는 각 지역에 산재해 있는 마을들로 구성된 농경사회가 성장하면서 자연스럽게 이루어진 제도였던 것이다. 그런데 동아시아의 봉건제라는 용어는 서양 중세의 봉건사회와 혼동할 염려가 있어 근래에는 이를 봉국제 또는 분봉제라고 부르기도 한다. 이기백(식민사학의 대부 이병도의 수제자) 같은 학자는 봉건제는 중국의 서주시대에만 존재했다고 주장하고 있다. <고조선의 국가형성>《한국사 시민강좌》제2집, 일조각,1988,p15. 이러한 주장은 근래의 연구결과를 접하지 못하고 오래전의 학문 수준에 의존하고 있는 잘못된 것이다.

아무도 알려주지 않는 고조선 이야기

현재의 한반도와 만주를 보면 중국의 黃河 유역과 같이 농경 마을이 산재해 있어 고대국가의 기층 단위도 비슷했을 것이라는 추정도 해볼 수가 있다. 고조선의 국가구조는 도읍에 최고 통치자인 단군이 있고, 각 대읍에는 거수국이 있었으며, 그 기초를 이루는 단위는 마을들이었을 가능성이 있는 것이다. 이를 확인을 해볼 필요가 있는데 고조선에 관한 사료는 지극히 한정돼 있어 그 시대의 마을에 관한 기록은 찾아볼 수 없다. 하지만 衛滿이 나라를 세운 후 영토를 확장한 과정을 설명하는 《사기》<조선열전>의 기록에서 고조선 사회의 기초단위가 마을이었을 것임을 알게 해준다. "이로써 위만은 군사적 위력과 재정을 얻어 그 주위의 소읍들을 침략하여 항복받으니 진번·임둔도 모두 와서 복속되어 땅이 사방 수천리에 이르렀다."《사기》권 115 <조선열전> 이 기록에서 위만은 영토를 확장하는 과정에서 주위의 많은 소읍들을 쳐서 복속시켰음을 알 수 있다. 앞서 말했지만 읍은 갑골문이나 고대한자에서는 사람이 모여사는 마을을 뜻하였다.

그런데 위만은 고조선의 서쪽 변경에서 건국하여 고조선 지역을 침략하여 영토를 넓혔던 것이다. 그러므로 위만이 쳐서 항복받은 마을들은 고조선의 마을들이었던 것이다. 이 사실은 고조선 사회의 기초가 마을들로 이루어졌음을 알 게 해준다. 지금까지를 살펴보면, 한반도와 만주에는 지금으로부터 약 1만여 년 전에 시작되는 신석기시대 이래 많은 마을들이 널리 분포되어 있었다. 시간이 흐르면서 점점 마을의 숫자도 늘어나고 규모도 커지면서 고조선 시대를 거쳐 여러 나라 시대에 이르렀을 것으로 생각된다. 이러한 마을들이 고조선 국가구조의 하층부를 형성하는 기초단위였던 것이다. 그리고 한 가지 밝혀둘 것은 <광개토왕릉비문>에 1개의 城(성)에 20여 개의 촌락이 있었다고 기록되어 있는데 이 기록에 나오는 城이 있는 마을이 바로 고대문헌에 나오는 城邑(성읍)인 것이다. 성읍이 일반 촌락보다 큰 마을인 것은 분명하지만 성읍 자체가 국가는 아니었으며, 성읍 밑에는 여러 작은 마을들이 기층을 이루고 있었던 것임을 알 수 있다.

그러므로 한국의 고대국가가 서양의 도시국가와 같은 城邑國家(이기백 주장)일 수는 없는 것이다. "한국의 고대국가가 서양의 도시국가와 같은 성읍국가였다는 견해가 성립하기 위해서는 성읍이 바로 국가였음이 입증되는 기록이 확인되어야 하고, 고고학적으로도 고대국가가 출현하던 청동기시대에 촌락유적은 소멸되면서 동시에 도시가 형성되는 현상이 확인되어야 한다. 그러나 이러한 자료는 전혀 나타나지 않는다. 오히려 지금까지의 고고발굴 결과를 보면 도시화의 현상은 확인되지 않는 반면에 촌락유적들만 증가되고 있을뿐이다."《고조선연구》윤내현, 1994, 일지사. p483. 이렇게 주류사학에서 주장하는 내용은 근거와 증거를 제시하지 못하고 오직 주장만 있을 뿐이다. 이런 주장은 여기에서만 그치는 게 아니고, 고대사 전반에 걸쳐 특히 고조선 분야에서는 더욱 심함을 알 수가 있다. 연구와 자료수집에는 게을리하고 오직 일본 식민사학자들의 주장만 쫓고 있으니 참으로 부끄럽고 학자라 칭하기에는 낯 뜨거울 정도다.

이를 토대로 고조선의 국가구조의 기초단위는 다음과 같이 설명할 수가 있다. 중앙에는 단군이 직접 통치하는 단군의 직할국이 있었고, 각 지역에는 거수들에 의해 통치되는 거수국이 있었는데, 각 지역의 거수들은 중앙에 있는 단군을 그들의 주군으로 받들었다. 그러므로 고조선은 거수국제국가 라고 부를 수 있을 것이다. 사람들이 거주하는 거주형태의 측면에서 보면, 중앙에는 단군이 거주하는 '도읍' 이 있었고, 각 지역의 거수국에는 거수가 거주하는 '큰마을'이 있었으며, 그 아래에는 일반적인 '작은마을'들 즉 '소읍'들이 있었다. 한반도와 만주에 널리 퍼져있는 작은 마을들은 고조선 국가구조의 基層(기층)을 형성하는 것으로 일반 농민(또는 하호)들이 거주하였다.

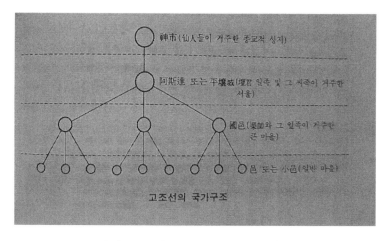

출처: 《고조선연구》 윤내현, 1994, 일지사.
고조선 국가구조의 기초단위 도표.

고조선의 국가구조는 고대 중국의 국가구조와 비슷하다. 동아시아 농경사회의 일반적인 모형이 될 수 있겠다. 고조선은 서양의 고대국가와 같은 도시국가였다는 '성읍국가설'은 성립될 수 없다는 점은 분명해졌다. 이는 고조선의 국가구조에 대한 연구가 충분하지 못한 상황에서 서양 고대국가의 특징을 일반화시켜 우리에게도 그대로 적용한 데서 일어난 오류였다고 봐야 하겠다. 식민사학은 그 좁은 틀에서 벗어나 자유롭게 연구하고 공부해서 자신의 양심을 속이는 일은 학자로서 안 했으면 한다.

2. 고조선의 통치조직

고조선은 각 지역의 渠帥國(거수국)을 渠帥(거수)에게 위임하여 간접으로 통치하는 지방분권의 체제를 갖추고 있었다. 고조선이 이러한 지방분권의 통치를 가질 수밖에 없었던 것은 고조선이라는 국가가 출현하기 이전에 한반도와 만주에 독립적으로 있던 마을연맹체를 지방정권으로 인정하면서 그것들을 결집하여 국가를 세웠기 때문이다. 고조선의 이러한 통치체제는 당시의 상황으로는 당연한 것이었다. 그런데 이러한 체제는 거수국들이 독립하여 분열을 가져올 위험이 항상 내포하고 있었기 때문에 중앙정부가 강한 무력을 가지고 있어야 한다. 그러나 그것만으로는 충분하지가 않았다. 무력은 통치를 위한 필수적이기는 하지만 언제나 갈등과 저항을 동반하기 때문에 그것만으로 항구적인 통치를 유지하기는 어려웠다. 따라서 국가의 각 지역 구성원들이 공동체의식을 갖게 하기 위해서는 종교를 통한 공감대의 형성이 필요하였다.

그것은 종교적 조직과 혈연적 조직이었다. 고조선의 최고통치자는 단군이었는데 그는 동시에 종교의 최고 지도자이기도 하였다. 고조선에서는 최고 통치자를 한(韓, 汗)이나 검(檢)이라고도 불렀는데 단군이라는 칭호는 종교적 의미가 강한 칭호로서 중국의 천자와 같았고 한이나 검은 정치적 의미가 강한 칭호로서 중국의 왕이나 황제와 같았다. 고대사회에서는 神이 인간만사와 자연현상을 모두 섭리한다고 믿었는데 고조선에서는 단군을 하느님의 뜻을 지상에 실현하는 하느님의 대리인이라고 믿었다. 종교가 고대사회를 지배하고 있었음은 세계 어느 지역에서나 고대의 인류역사가 신화로 전해 내려오고 있다는 사실에서 쉽게 알 수 있다. 고대인들에게 있어서 종교는 현대사회에서와 같이 믿어도 되고 안 믿어도 되는 그러한 것이 아니다. 그들에게 있어서는 의심할 수 없는 과학이었기 때문이다.

단군사화에 등장하는 환웅과 곰, 호랑이도 고대인들의 종교의식이 반영된 것이다. 윤내현 교수에 의하면 환웅족은 조선족, 곰족은 고구려족, 호랑이족은 예족이라고 추정한바 있다.(윤내현《고조선의 종교와 그 사상》p14~15) 고조선에서는 최고 통치자인 단군을 배출한 환웅족의 수호신인 하느님이 최고신이 되었고 그아래 고구려의 곰신, 예족의 범신 등의 거수국의 수호신들이 위치하게 되었으며 그 아래 일반 마을의 수호신들이 위치했던 것이다. 이렇게 신들을 계보화하여 중앙에서 단군이 그 의식

아무도 알려주지 않는 고조선 이야기

을 관리함으로써 고조선을 구성한 여러 거수국의 유대를 종교적으로 강화했던 것이다. ≪後漢書≫<東夷列傳>과 ≪三國志≫<東夷傳>의 <韓傳>에는 고조선의 거수국이었다가 고조선이 붕괴되자 독립한 韓에 대해 설명하면서 한의 거수국 國邑(국읍)에는 하느님에 대한 제사를 주제하는 사람이 있었는데 그를 天君이라 부른다고 하였다. 그리고 이와는 별도로 蘇塗(소도)라는 종교 성지가 있었는데 그곳에서 귀신을 섬긴다고 하였다.≪후한서≫권 85, <동이열전>과 ≪삼국지≫<오환선비동이전>,<한전>에

고조선의 중앙정부에서는 단군이 정치와 종교를 모두 관장하고 거수국에서는 거수는 정치만을, 천군은 종교만을 관장하는 분권이 행해졌을 것으로 보인다. 이러한 종교조직은 고조선의 모든 거수국이 같았을 것이다. 거수들은 자신이 중앙의 단군으로부터 종교의식을 일부 나누어 받은 것처럼 그것을 자신의 아래 사람에게 나누어주기도 하였다. 그러한 사실은 기자국의 준왕(準王)과 위만의 관계를 통해 알 수 있다. ≪魏略, 위략≫에는 기자의 후손으로 고조선의 거수로 있던 준왕은 西漢으로부터 망명한 위만이 서쪽 국경에 살면서 서한의 침공을 방어하겠다고 하자 그를 博士(박사)로 제수하고 圭(규)를 하사하였으며 사방 백 리의 땅을 봉지로 주었다고 기록되어 있다.≪삼국지≫권

30, <오환선비동이전>,<한전>의 주석으로 실린 ≪위략≫. 준왕이 위만에게 圭(규)를 하사했다는 것은 종교의식을 나누어 주었음을 의미한다. 위만은 박사 신분에 알맞은 종교의식을 나누어 받았던 것이다.

이러한 종교적 권위와 조직을 통해 단군은 神權統治(신권통치)가 가능했다. 그리고 고조선에서는 혈연조직도 통치조직으로 작용하고 있었다. ≪삼국유사≫<왕력>편의 <고구려>조에 '고구려의 동명왕은 단군의 아들'이라 했고 같은 책<기이>편의 <고구려>조와 <북부여>조 및 ≪제왕운기≫에는 부여의 해부루왕도 '단군(해모수)의 아들'이라 하였다. 단군은 고조선의 통치자를 말하고 고대 문헌에서 아들이라는 표현은 후손을 뜻하므로 이들은 고조선의 통치자인 단군의 후손이었다고 보아야 할 것이다. 이들은 모두 고조선의 거수국이었으나 고조선이 붕괴되자 독립한 나라들이므로 이 기록은 고조선의 거수 가운데 단군의 아들이나 후손이 있었음을 알게 해준다. 이러한 통치조직 속의 혈연요소는 중국 고대 西周에 이르면 조직적으로 구체화되어 宗法制(종법제)가 만들어지고, 그것을 기초로 한 分封制(분봉제)가 행해지기에 이르렀다.

아무도 알려주지 않는 고조선 이야기

서주 왕의 자리는 적장자가 계승하고 나머지 아들들은 신분이 한 등급 낮아져 諸侯(제후)로 봉해졌다. 이러한 상속법은 제후의 가문이나 다른 신분의 가문에도 그대로 적용되었다. 제후의 자리도 적장자가 계승하고 나머지 아들들은 한 등급 낮은 大夫의 신분이 되었던 것이다. 이와 같은 종법제에 기초한 상속법은 공자에 의해 예찬되어 儒家들에게 받아들여졌는데, 한국사회에서 적장자가 부모의 재산이나 조상에 대한 제사 등 사회적 이권을 모두 상속받아 온 풍속은 바로 이러한 서주시대의 제도를 이어받은 것이다. 고조선에서 중국의 서주에서 행해졌던 것과 같은 조직적이고 구체적인 혈연조직이 통치조직으로 이용되었는지는 알 수가 없지만, 통치조직 속에 혈연조직의 요소가 있었음은 확인된다.

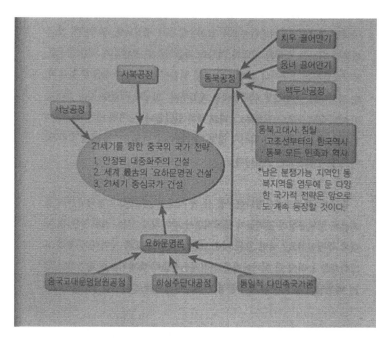

출처:《동북공정너머요하문명론》우실하. 새로운 시각으로 역사관련 공
정들을 보자.

고조선에는 최고 통치자인 단군의 아들들을 각 지역의 거수로
봉하는 제도가 있었던 것으로 생각된다. 그 숫자가 어느 정도
였는지는 알 수 없지만 비교적 큰 나라였던 부여· 고구려· 비
류《제왕운기》 등의 왕실이 단군의 후손이었다고 전해오는 것으
로 보아 고조선 말까지는 상당히 많은 거수들이 단군의 근친
가운데서 봉해졌을 것으로 생각된다. 이러한 혈연조직은 권력
을 독점하고 계속 유지하기 위한 수단으로서 필요했던 것이

다. 고대인들에게 있어서 혈연조직은 가장 친숙하고 믿을 수 있는 조직이었기 때문에 정권의 독점과 유지를 위해 이를 적극 이용했던 것이다. 다른 나라의 예를 보더라도 왕권이 전제화되는 과정에서 혈연조직이 강화되었다. 고조선에서도 이와 같은 현상이 일어났을 것으로 유추된다. 이런 아들이나 근친으로 봉하는 현상은 말기로 오면서는 현저하게 많이 나타난다. 아무래도 나라의 말기에는 힘이 떨어졌기 때문에 믿을 수 있는 사람으로 가족이나 근친에서 찾아 주요 직책을 주는 것이 통치자의 입장으로는 맘이 편하지 않을까?

고조선은 한반도와 만주에서 최초로 등장한 국가이다 보니 행정조직이 발달해 있지 않았다. 그러므로 불완전한 행정 조직으로 국가를 경영하기 위해 그것을 보완하는 조직이 필요했다. 그러나 아쉽게도 고조선의 관제에 대한 직접적인 기록이 남아 있지 않다. 하지만 위만조선의 관직을 통해 고조선의 관직을 짐작은 할 수가 있다. ≪사기≫<조선열전>에 따르면 위만조선에는 관료 조직으로서 왕을 보좌하고 행정을 총괄하는 직책인 裨王(비왕)이 있었고 군사 업무를 총괄하는 직책으로 將軍(장군)이 있었다. 왕의 유고 시에 대비해서 왕의 생존 시에 뒤를 이을 태자가 이미 봉해져 있었고, 각 분야별로 업무를 분담하여 관장하는 조선상· 상· 이계상 등의 중앙관료가 있었다. 여기서 생각해 보아야 할 것은 위만이 서한에서 망명 온 사람이라는 점이다. 그는 중국의 관제에 대해 잘 알고 있을 것이다. 그런데도 위만은 중국의 관제를 따르지 않고 중국과는 다른 독자적인 관제를 사용하고 있었다. 모든 문화는 어느 개인이 하루아침에 창제하는 것이 아니다. 오랜 기간에 걸쳐 점차 발전하는 것이다.

위만이 서한으로부터 망명을 해서 정착한 곳이 고조선의 서쪽 변방 영토였다. 위만조선이 서한과 다른 관제를 사용하고 있다는 것은 그곳에 이미 그곳 사람들에게 익숙한 관제가 있었음을 말해준다. 그러므로 위만조선의 관제는 고조선의 관제를 계승한 것이었다. 고조선은 중국과는 전혀 다른 국가의 길을 가고 있는 나라인 것이다. 그러므로 중국과 국경을 맞대고 있으면서 나라를 통치하기 위해서는 강한 군사력도 필요하였다. 군사는 외적의 침략을 방어하기도 하지만 고대사회에서는 통치의 도구로서도 중요한 역할을 하였다. 고조선은 군사적으로 매우 강한 나라였다. 중국의 전국시대인 서기 전 3세기 초에 燕(연) 나라 장수 진개가 고조선을 침략한 사건이 있었다. 고조선은 갑작스럽게 침략을 받아 일시 후퇴했지만 이를 축출하고 오히려 연나라의 동부 땅을 빼앗아 침략을 응징하였다.(윤내현<고조선의 경제적 기반>PP558~559참조) 당시 중국은 춘추전국시대의 오랜 전쟁을 치르면서 전략과 전술 및 무기가 매우 발달해 있었다. 이런 실전 경험이 많은 연나라를 상대로 축출한 것은 물론 땅을 빼앗는 전과를 올렸다는 것은 고조선의 국력이 매우 강했다는 것을 말해준다.

현재 러시아-우크라이나 전쟁을 통해 국산 무기가 한층 주가를 올리고 있다. 국산 무기는 동구권 국가는 물론이고 타 국가들에게도 인기가 좋아 구매대상 일순위로 손꼽히고 있는 모양이다. 한국전쟁 당시 전차 한대 없어 북한이 소련제 탱크를 앞세워 파죽지세로 밀고 들어올 때 우리 국군이 속수무책으로 당했다. 그런 때를 생각해 보면 천지개벽할 일이다. 다른 나라들은 여러 이유가 있어서 못했겠지만 대한민국은 어쨌건 해냈다. 소총 한 자루 만들지 못해 미군 무기를 들고 싸웠던 그로부터 70년이 흐른 지금 한국은 전투기는 물론 미사일, 전차, K-9 자주포, 군함, 로켓을 쏘아 올리고 있다. 어엿한 세계 6위의 군사강국이 되었다. 일본은 우리를 일제강점기 시절을 생각하고 덤빈다면 일본열도는 초토화를 각오해야 한다. 그만큼 자신 있다는 소리다. 어느 나라든 일대일로 붙어 한국을 쉽게 꺾을 수 없다는 게 세계 군사 전문가들의 한결같은 의견이다. 이런 힘은 위에서도 말했지만 조상들의 유전자를 물려받았기 때문에 가능한 것이었다.

우린 자신감과 자부심을 가져야 한다. 실제 힘도 있다. 전쟁을 치르려면 경제력이 뒷받침되어야 한다. 우리는 경제력도 세계에서 11위 정도의 규모다. 광복절이라는 게 무엇인가? 일제로부터 독립투쟁을 해서 해방된 경축할 일이다. 과거사의 반성도 없고 사죄도 없는 나라하고 파트너라고? 이게 무슨 궤변인가. 참으로 슬프다. 한 나라의 대통령의 역사의식과 주체적인 의식이 초등생만도 못하니 내가 속이 뒤집어졌다. 전쟁은 좋은 무기도 필요하지만 국민들의 정신력이 제일 중요하다. 아마도 극우보수 빼고는 대한민국을 위해 기꺼이 목숨 바칠 각오가 되어 있다고 난 자신한다. 왜? 좋은 나라, 아름다운 나라, 살기 좋은 나라를 우리 손으로 지켜 후손에게 물려줘야 되지 않은가? 우리에게는 그런 책임이 있다. 매국노라는 단어는 역사 교과서에서나 봤는데 내가 현실에서 목도하고 있다. 이 울분을 글로 다 표현하지 못한 것이 못내 억울하기만 하다.

(1) 고조선의 神政組織

고대사회에서 무력과 종교는 그 사회를 지배하는데 가장 중요한 수단이었다. 다른 집단을 복속하여 지배하는 데 있어서 무력과 더불어 종교는 필수적 요소였다. 무력은 대립과 갈등을 유발하기 때문에 그것으로는 장기적으로 지배하기는 어려웠다. 각 구성원들이 공동체의식을 갖게 하기 위해서는 종교를 통한 공감대의 형성이 필요하였다. 고대사회에서는 종교가 정치 위에 군림하며 사회를 지배했다. 그리고 고대사회를 바르게 이해하기 위해서는 종교에 대한 이해 없이는 불가능하다. 고대인들은 만물에는 靈(영)이 있다고 믿었고, 따라서 만물은 神으로 인식되었다. 인간 만사는 신의 섭리에 따라 움직이는 것으로 믿었기 때문에 사람들이 체험했던 것들을 섭리했다고 믿었던 신의 이야기로 전했던 것이다. 고대인들에게 있어서 신의 섭리는 과학이었다.

동아시아에서 가장 이른 문자 기록인 甲骨文은 고대사회가 종교에 의해서 지배되었다고 말해 주고 있다. 갑골문은 중국 商(상, 은나라) 나라 후기 서기전 1330년 경부터 서기전 1111년경까지의 기록으로서, 그 내용은 商王이 神의 뜻을 알기 위해 점을 친 기록이다. 상왕은 종교의식과 국가의 중대사로부터 사사로운 일에 이르기까지 모든 문제에 대해서 神의 뜻을 묻고 그 결과에 따라 행동하였다. 그러므로 상나라의 정치는 商왕이 신의 뜻을 대신하여 집행하는 神權統治의 성격을 지니고 있었던 것이다. 이러한 현상은 세계 모든 지역의 고대사회에 공통된 것이었다. 고대인들에게 종교는 현대인들처럼 믿어도 되고 안 믿어도 되는 그러한 것이 아니었다. 神이 인간만사와 자연현상을 섭리한다는 것은 고대인들에게는 의심할 수 없는 과학이었다.

고대인들에게 있어서 종교의식은 구석기시대부터 있어 왔다. 만물은 모든 靈(영)을 가지고 있다는 애니미즘(animism)으로, 동물을 숭배하고 그것을 그들의 조상으로 인식하는 토테미즘(totemism)으로 발전하게 되었다. 이러한 종교의식이 고대사회를 지배하고 있었던 것이다. "고대국가는 각 씨족들이 공동체의식을 갖도록 하기 위해 씨족의 신을 중심으로 종교조직을 갖게 됐다. 이에 따라 그 나라에서 가장 강한 씨족의 수호신이 최고신이 되고 다른 신들은 그 아래 자리를 차지하게 되었다. 갑골문의 내용은 이러한 사실을 잘 전해 주고 있다." 윤내현 ≪商王朝史의 硏究≫, 경인문화사, 1978, p104~250. 한반도와 만주지역에서도 고조선이 건국되기 전부터 종교의식이 생활 속에 깊숙이 침투해 있었다. 신석기시대의 유적인 요령성 우하량유적에서 출토된 흙으로 만든 실물 크기의 神像(신상) 머리와 신전 터는 이 시기에 종교가 상당한 권위를 가지고 군림하고 있었음을 말해주고 있다.

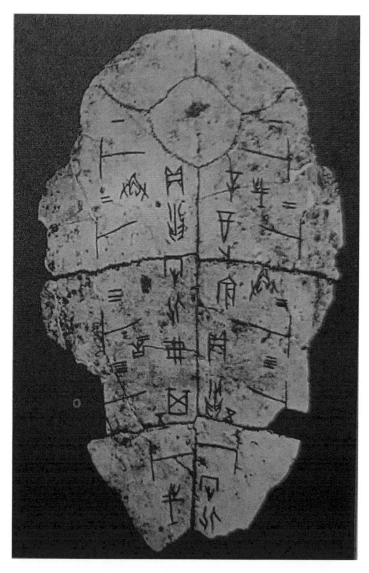

출처:《동북공정너머 요하문명론》우실하. 상나라 시대에 거북의 배
껍데기에 새긴 갑골문인 귀갑문자.

아무도 알려주지 않는 고조선 이야기

"壇君史話에 등장하는 환웅과 곰, 호랑이도 고대인들의 종교의식이 반영된 것이다. 윤내현 <고조선의 종교와 그 사상> 단국대 부설 동양학 연구소, 1993. 하느님을 수호신으로 숭배했던 환웅족과 곰을 수호신으로 숭배했던 곰족, 호랑이를 수호신으로 숭배했던 호랑이족이 고조선을 주로 구성하고 있었던 것이다. 윤내현 교수에 따르면 환웅족은 조선족, 곰족은 고구려족, 호랑이족은 예족으로 추정하고 있다. 이 가운데 하느님이 고조선 종교의 최고신이 되었고, 그를 숭배했던 조선족이 고조선의 최고 지배족이 되었던 것이다. 이외에도 많은 신과 씨족들이 고조선의 종교와 사회를 형성하고 있었겠지만 대표적인 신과 씨족들만이 단군사화에 남아 있는 것이다. 앞에서도 말했지만 단군은 종교의 지도자였으며 동시에 정치적 통치자이기도 했다.

중국에서 최고 통치자를 최고신인 하느님의 아들이라는 뜻으로 天子라 불렀던 것과 같다.(중국에서 최고 통치자인 왕을 天子라 부르기 시작한 것은 西周 시대부터였다) ≪後漢書≫와 ≪三國志≫의 <韓傳>에는 다음과 같은 기록이 있다. "여러 국읍에는 각각 한 사람으로서 천신에 대한 제사를 주재하도록 하였는데, 이름하여 天君이라 하였다." ≪후한서≫ 권 85 <동이열전><한전>. "귀신을 믿기 때문에 국읍들에서는 각각 한 사람을 세워 하느님에 대한 제사를 주관하는데, 그를 天君이라 부른다."≪삼국지≫권 30 <오환선비동이전><한전>. 韓나라에는 하늘에 제사를 주관하는 종교 지도자가 있었는데, 그를 天君이라 불렀다는 기록이다. 이 기록은 고조선이 붕괴된 후의 韓나라 상황을 전하는 것이지만,(≪後漢書≫와 ≪三國志≫는 중국의 東漢시대와 三國시대의 상황을 전해주고 있는데, 이때는 이미 고조선이 붕괴된 후였다) 韓나라는 고조선의 거수국이었다. 그래서 종교 지도자에 대한 호칭은 그대로 계승되었을 것이다.

韓을 제외한 고조선의 여러 거수국들은 지금의 遼西지역에 위치해 있었다. 고조선 말기에 이르면 지금의 요서지역에 衛滿朝鮮(위만조선)이 건국되고 또 위만조선이 멸망 뒤에는 漢四郡(한사군)이 설치되었다. 고조선이 붕괴된 후 여러 거수국들은 본 거지를 잃게 되었는데 이들은 지금의 遼河(요하) 동쪽과 한반도 북부로 이동해서 자리를 잡고 독립국을 세웠다. 국가를 세우면서 국가권력이나 통치조직은 시대 상황에 맞게 변하였다. 하지만 韓은 원래 한반도에 위치해 있었던 관계로 요서지역의 정치 상황 변화에 의한 피해를 입지 않았다. 도리어 요서지역의 정치세력들이 한반도로 이동해 옴에 따라 북부의 영역이 다소 줄어드는 정도의 지리 변화가 있었다. 고조선 당시의 기록

아무도 알려주지 않는 고조선 이야기

이 전해지지 않은 오늘의 상황에서는 ≪後漢書≫와 ≪三國志≫의 韓나라에 관한 기록은 고조선 사회를 연구하는 데 매우 귀중한 가치를 지니고 있는 것이다.

고조선의 壇君이나 韓나라 渠帥國(거수국)의 天君이라는 호칭은 원래 한반도와 만주지역 거주민들의 토착어였을 것이다.(윤내현≪고조선 연구≫,1994, 일지사. p532. 단군은 ≪삼국유사≫에서는 壇君이라 표기하였고 ≪제왕운기≫에서는 檀君이라 표기하여 '단'자가 서로 다른 문자로 되어 있다. 이것은 단군이라는 칭호가 원래 漢字에서 온 것이 아니라 고조선의 토착어였는데, 漢字로 音寫(음사) 하면서 서로 다르게 표기되었음을 말해 준다.) 단군사화에 의하면, 환웅이 하늘로부터 내려온 지점인 태백산 마루에는 神壇(신단)과 神壇樹(신단수)가 있는 神市라는 곳이 있었는데, 그곳은 바로 고조선 종교의 최고 성지였다. 그곳에는 종교의식을 치르는 사람들이 소속된 기구가 있었을 것이다. 단군은 이러한 종교기구의 수장을 겸하고 있었던 것이다. 중국의 商나라에는 종교의식을 담당하는 貞人機構(정인기구)가 설치되어 있었는데 그 우두머리는 왕이었다. 이러한 사실은 신의 뜻을 파악하기 위한 점복행사는 정인들에 의해 행하여졌지만, 최종적인 점괘의 해석은 왕에 의해 선포되었다. 통치자가 종교 지도자를 겸하고 있었던 것은 한국과 중국의 고대국가가 비슷했을 것이다.

≪후한서≫와 ≪삼국지≫에서 韓나라에는 종교지도자인 천군이 있을 뿐만 아니라 蘇塗(소도)라는 종교적 別邑(별읍)이 있었다는 기록이 있다. 일반 마을(邑)과 별도의 마을(別邑)이 蘇塗로 설치되어 있었다. 이것은 거수국의 정치 중심지인 국읍과 구별되는 종교 성지였던 것으로 생각된다. 소도는 범죄자가 도망 오면 그를 돌려보내지 않았다고 한 것으로 보아 종교의 권위가 정치보다 강했음을 알 수 있다. 고대사회에서 사회 신분은 그 사람이 종교 안에서 갖는 위치에 의해서 뒷받침되므로 왕이나 거수들은 사람들에게 신분에 맞게 종교를 나누어 줬다. 종교를 나누어 줬다는 것은 신앙을 상징하는 종교의 儀器(의기)를 나누어 주었다는 뜻이다. 중국에서는 고대에 제후나 대부를 봉할 때 종교의식인 제사를 나누어 주었는데, 이때 청동기 등 제사에 필요한 儀器 등을 하사했었다.

지금까지 확인한 바로는 고조선은 종교의 성지로서 중앙에 神市가 있었고, 각 거수국에는 蘇塗가 있었다. 단군은 정치적으로는 거수들을 지배하면서 종교적으로는 신시에 있는 宗敎職人(고조선에서는 단군을 포함한 이들을 선인이라 불렀던 듯하다)과 각 거수국의 종교 지도자인 천군들을 통치하였다. 필요에 따라서는 각 거수들은 자신들의 봉지 일부를 재분봉해 주었는데, 재분봉받은 사람을 博士(박사)라 하였으며, 이때에 종교도 재분배해 주었다. 종교를 재분배하는 것은 전 국민들로 하여금 동일한 최고신을 섬기는 공동체의식을 갖도록 하기 위한 神政組織의 기능을 가지고 있었는데, 단군은 이러한 종교조직을 관장함으로써 神權統治가 가능했을 것으로 추정된다.

'신화는 역사가 아니다'라는 사고로는 신화에서 역사를 읽어낼 수 없다. 일제는 조선을 침략하면서 맨 먼저 한 일이 한국사를 왜곡하는 거였다. 제일 먼저 시도한 것이 단군조선의 역사 부정이었다. 일제는 단군조선의 역사를 신화 내지는 설화로 희화화했고, 이병도와 그의 제자들은 해방 후에도 한국인에게 이를 반복적으로 각인시켰다. 역사적 사실을 허구적 신화라는 이유로 삭제했다. 단군이 신화가 되어야만 기자나 위만 등 중국에서 온 이들의 절대적인 영향 아래 중국사의 일부였다고 한국사를 호도할 수 있기 때문이다. 그래서 한국사에서 단군에 대한 역사인식이 얼마나 중대한 문제인가를 인식해야 한다.

송호정 교수는 "단군조선은 신화의 영역일 뿐 역사 연구의 대상은 아니다"라고 잘라 말했다.<한국일보>,2003년 2월 12일. 송호정은 단군조선을 부정확한 기록과 상상에 의거한 소설이라고 심하게 비판한다. 그리고 고대국가의 성립시기는 청동기시대라고 주장한다. 이것이 국내 식민사학계의 정설이다. 이미 그들은 정설을 만들어 놓고, 기계적으로 반응한다. 그리고 다른 의견에 대해서는 무조건적으로 틀렸다고 판명한다. 문헌고증은 물론 고고학적으로도 서기전 24세기 이전까지 올라가는 청동기 유적 유물이 발굴되었는데도 말이다. 한국사의 상한 연대가 올라가면 즐거워야 할 사람들이 한국사학자들이지만 현실은 정반대다. 주류식민사학계는 자기들이 정설로 고수해온 연대보다 너무 오래되었다는 이유로 인정하지 않고 있다. 과학적인 근거가 나왔는데도 없는 사실처럼 부정하고 있는 것이다.

일본의 황국사관, 중국의 중화사관에서 바라보는 시각에서 고조선의 역사를 자꾸 축소하고 싶은 것이다. 그들은 도대체 왜 그럴까? 다른 이유는 없는 것 같다. 스승에게 배운 대로 실천해야만 본인들이 산다고 믿기 때문이다. 맞고 틀리고는 문제가 안된다. 참으로 학자적 양심은 없고 오직 자리에만 연연하는 눈물겨운 충성심이다.

제 3 장
고조선의 경제 및 사회

1. 고조선의 경제활동

고조선은 고고학적으로는 초기부터 청동기시대였고 사회진화 상에 있어서는 국가사회 단계였다.(윤내현《사학지》1993.) 국가의 통치조직을 유지하기 위해서는 당연히 그것을 뒷받침할 수 있는 경제적 기반이 있어야 한다. 고조선의 경제수준을 파악하는 데에 있어서 만족할 만한 직접적인 자료가 없어서 구체적으로 말하기는 어렵지만 중국 문헌에 기록된 간접 자료를 통해 고조선의 경제수준을 어느 정도 이해하는 것은 가능하다. 고조선은 일찍부터 중국에 사신을 파견하는 등의 교류를 가지고 있었다. 중국 문헌을 통해 고조선의 사회와 경제수준이 낮지 않았다는 것은 알 수가 있다.

동아시아 사회는 고대부터 농업을 경제의 기초로 하고 있었다. 전근대사회에서는 토지가 생산의 원천이었고 권력의 원천이기도 했다. 지역에 따라서는 사냥, 고기잡이 같은 생산활동도 하였지만 그것은 주된 경제가 아니었다. 고조선 시대의 유적에서 농구가 많이 출토되는 것은 이러한 사실을 알게 한다. 고조선의 유적에서 지금까지 출토된 곡물은 벼, 보리, 조, 기장,

아무도 알려주지 않는 고조선 이야기

콩, 팥, 옥수수, 수수, 기장수수, 등이다.

고조선에서 오곡을 비롯해 다양한 곡물을 재배했음을 알게 해 준다. 그러나 이런 곡물이 고조선 시대에 갑자기 이루어진 것이 아니라 고조선이 건국되기 훨씬 전부터였다. 고조선 시대의 전기와 중기는 청동기시대였고 후기에 철기가 보급되었다. 청동기는 주로 지배 신분의 권위를 뒷받침하는 용도로 사용되었다. 예를 들면 장신구, 제기, 무기 등 청동기의 재료인 구리나 주석은 귀한 물질이었다. 청동기는 농구로서 일반화될 수 없었다.

고조선 시대의 농구는 석기와 목기, 골각기 등이었다. 이런 농구로는 넓은 토지를 개간할 수도 없었고 땅을 깊이 갈 수도 없었다. 생산을 증대하기 위해서는 협동 노동이 필요했다. 한 마을 농민들이 공동으로 농경을 하는 집단 농경을 하였다. 그래서 마을공동체 의식은 강하였다. 거주지와 그 주변의 농경지를 포함한 농민의 마을공동체가 고조선 사회구조의 기층을 형성하고 있었던 것이다. 그리고 고조선에서는 비교적 낮은 율의 세금을 거두어들였다.

"≪맹자≫ <告子, 고자>편에는 맥(貊, 貉) 지역에서는 수확의

20분의 1을 세금으로 거두어들인다는 기록이 있다".≪맹자≫<
告子章句,고자장구>下,<白圭章,백규장>. 맥은 고조선의 거수
국 가운데 하나였다. 그러므로 위의 내용은 고조선의 세제를
말하는 것이다. 맹자가 맥을 들어 이야기한 것은 맥이 중국에
가장 가까이 있었기 때문이다. 당시 중국에서는 세율이 기본적
으로 수확의 10분의 2였지만 실제로는 그보다 훨씬 높아 10분
의 5가 일반적이었다고 한다. 이로 보아 고조선 농민들의 생활
은 중국지역보다 안정되어 있었음을 알 수가 있다.

고조선에서는 발달된 농업을 바탕으로 목축업도 성행하였다.
고조선의 여러 유적에서는 집짐승(개, 돼지, 소, 말, 양, 닭 등)
뼈가 출토된다. 후기로 들어서면 집짐승의 뼈가 늘어나 농업
의 발달과 더불어 목축업이 점차 발달했음을 알 수가 있다. 이
와 같이 사냥이나 목축으로 얻어진 동물들은 고조선의 산업 발
달에 상당히 큰 비중을 차지하였다. 이러한 생산품의 일부는
국내에서 교역이 이루어지기도 했겠지만 외국에 수출되기도
하였다.

≪管子≫의 <揆道, 규도>편과 <輕重甲, 경중갑>편에는 중국의
춘추시대인 서기 전 7세기에 고조선과 齊(제) 나라가 교역한

사실이 기록되어 있는데 고조선의 특산물로서 모직 의류와 표범 가죽 등을 들고 있다. 활과 화살, 화살촉 등도 중요한 수출품이었는데 (고조선과 그 뒤를 이은 여러 나라에서 좋은 활을 생산했다는 기록과 더불어 사신이 중국을 방문할 때 이러한 활을 예물로 가져갔다는 기록이 중국의 옛 문헌에서 자주 보인다) 고조선의 공부를 하면서 느끼는 게 있는데 현재 우리의 K-문화는 그냥 저절로 탄생된 게 아니라는 느낌이 부쩍 든다.

양궁은 세계에서 타의 추종을 불허하고, BTS 역시 세계 1등을 하면서 젊은이들의 문화를 선도하고 있는 것도, K-방산 역시 그냥 탄생한 게 아니고 우리 선조들의 우월한 DNA를 물려받은 결과가 아니겠는가 하는 생각이다. 물론 본인들의 피땀어린 노력과 국민들의 높은 교육열이 한몫을 했다는 것도 부인할 수 없는 사실이다. 후천적인 노력도 중요하지만 선천적으로 타고난 능력이 중요하다는 것은 다 느꼈을 것이다. 우린 다른 민족에 비해 선천적으로 좋은 머리와 육체적 조건을 타고나서 세계 문화와 제조, IT 기술적인 면에서 세계를 선도를 하고 있는 것은 부인할 수가 없는 사실일 것이다.

아직은 유적 발굴이 충분하지는 못하다. 특히 하가점하층문화의 유적이 충분하게 발굴된다면 구체적으로 설명을 뭐라고 단정할 수는 없지만 고조선 사회는 초기부터 전반적으로 상당히 높은 문화 수준에 이르러 있었다고 보아도 무방할 것이다. 비파형동검문화의 개시 연대에 대해서 일부 학자들은 서기전 10세기경을 고집하고 있지만(이기백<고조선의 국가 형성> ≪한국사 시민강좌≫제2집, 일지사, 1988, P12) 그간의 발굴 자료를 보면 이보다 훨씬 올려 보아야 할 것이다. (이기백은 이병도의 수제자다)

한창균은 만주지역의 발굴 자료를 검토한 후 비파형동검문화의 개시 연대를 서기 전 16~14세기로 보아여 한다고 주장하였다. 한창균<고조선의 성립 배경과 발전단계 시론>국사편찬회, 1992 비파형동검문화는 고조선의 중기를 대표하는 문화이다. 비파형동검은 우수한 무기이며 섬세하고 정교한 기술을 필요로 하는 공예품일 뿐만 아니러 이와 공존했던 유물들은 당시의 문화 수준이 매우 높았음을 알게 해준다.

고조선의 장거리 국제무역은 해로를 이용했을 것이다. 고대에 육로보다 해로를 많이 이용했다는 사실은 다른 나라에서 일반적으로 확인되는 것이다. 해로를 이용하기 위해서는 큰 배가 있어야 하는데 배를 만들기 위해서는 여러 전문 수공업 집단이 있어야 하는데 이러한 사실은 고조선의 수공업이 매우 높은 수준에 이르러 있었을 것임을 알게 해준다. 한마디로 이 당시의 배를 만든다는 것은 모든 기술의 집약이 되어야 한다.

현대의 자동차 기술과 비슷하다고 볼 수 있다. 산업의 파급효과가 엄청나다는 것을 봤을 때 고조선이 그만큼 부강하다는 것을 입증하는 것이다. 현대 한국이 자동차 생산량도 세계에서 5위안에 드는 기술 강국이다. 전기차 분야에서는 미래에 세계를 석권하지 않나 싶다. 반도체, 배터리가 타의 추종을 불허할 만큼 높은 기술력을 갖고 있다. 지금은 잠시 주춤하고 있지만 누군가가 자리에서 내려온다면 용이 날개를 단 형국이 될 것이다. 어서 잘 내려오시게 온 국민이 힘을 합쳐 그만 놀이를 멈출 수 있게 온 국민이 도와야겠다.

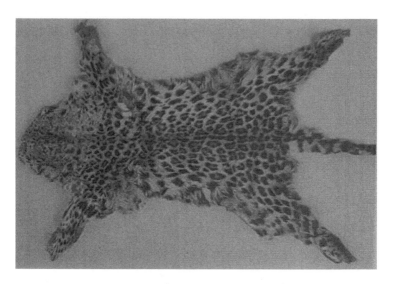

출처:《세상을 바꾼 다섯 가지 상품 이야기》홍익회. 위신재로 쓰인 문피. 호랑이나 범 가죽은 머리까지 연결시킨 상태로 넓게 펴서 깔개의 종류나 장식용으로 쓰였다. 문피는 재 환공이 주변의 제후들을 거느리기 위해 공급하는 위신제로서의 역할을 했던 것으로 보인다.

고조선은 전기와 중기에는 청동기시대였고 후기에는 철기시대였다고 말한 바 있다. 고조선의 발달된 청동기문화와 철기문화는 여러 방면의 수공업을 발달시켰다. 이러한 농업과 목축업, 수공업의 발달은 결과적으로 상업의 발달을 가져와 고조선은 일찍부터 활· 화살· 화살촉 등의 무기와 모피의류· 모직의류· 표범가죽· 말곰가죽 등의 생활 사치품을 중국에 수출하였다. 이러한 물건들은 중국 문헌에 기록 된 것으로 보아 고조선의 대표적인 상품이기도 하고 중국인들의 기호품였을 것이다.

아무도 알려주지 않는 고조선 이야기

고조선은 이러한 무역을 통해서 외화를 많이 보유한 나라가 될 수 있었다. 이러한 경제적 이익은 고조선의 왕실과 통치기구를 유지하는 경제 기초로 중요한 역할을 했다.

고조선 시대의 여러 유적에서 연나라의 명도전 외에 시전 등의 중국 화폐가 많이 출토되었다. 명도전은 한 유적에서 4000~5000점이 출토되기도 했다. 고조선은 독자적인 화폐도 사용하였다. 교역의 발달로 상품 교역의 매개물인 화폐가 필요했을 것이다. ≪한서≫<지리지>에 기록되어 있는 고조선의 '범금 팔조' 가운데는 "남의 물건을 도적질한 사람은 그 주인의 노예가 되는 것이 원칙이지만 죄를 면하려면 50만전을 물어야 한다"라는 규정이 있다. 이 기록으로 보아 고조선에 독자적인 화폐가 있었음을 알 수 있다.

≪전국책≫≪연책≫에는 연나라의 동쪽에는 조선과 요동이 있고 북쪽에는 林胡와 樓煩(누번)이 있으며 서쪽에는 雲中과 九原이 있고 남쪽에는 呼陀(호타)와 易水가 있다고 설명한 후, 연나라는 군사 수십만, 전차 700대, 말 6,000 필, 10년을 버틸 군량을 가지고 있다고 기록되어 있다. 그런데 연나라는 땅은 넓지만 사람이 많이 살지 않아 자체 생산으로 10년간의 군량

을 비축한다는 것은 불가능했다. 따라서 주변의 다른 지역으로부터 그것을 구해야 하는데 북방의 지역이라 농사에는 알맞은 지역이 아니었다. 그렇다면 군량미를 구입할 수 있는 나라는 고조선으로부터 구입했을 것으로 본다. 고조선은 중국과 국경을 맞대고 있으면서도 쌀과 같은 식량을 지렛대 삼아 대국과 대등하게 나라를 지키는데 군사·외교·경제 면에서 꿀림이 없이 현명하게 대처했음을 알 수 있다.

여기에서 뭔가 현재 일어나고 있는 일과 비슷한 현상을 느낄 수 있다. 러-우 전쟁에서 한국이 차지하는 비중은 직접적으로 지원하지 않더라도 포탄과 탄약을 제조하고 지원할 수 있는 나라는 세계 어느 나라도 그 역할을 하지 못한다. 왜냐하면 미국이 나토를 통해 보호한다는 명목으로 그런 제조업을 없애다시피 했다. 특히 독일이 그렇다. 그렇다면 우리는 그 제조 능력을 갖고 군사, 외교 분야에서 갑으로 행세하며 국익을 위해 협상할 수 있었다. 미국 역시 자기들이 쓸 수 있는 비축용 비상 탄약까지 제공하며 우크라이나를 지원하는 데 한계가 있다. 얼마든지 우리가 우리의 국익을 위하는 지렛대로 삼았으면 하는데 그렇게 하지 못하고 호구 짓을 하고 있으니 안타까운 일이다. 그러면서도 중국과 러시아와는 적으로 만들고 있으니 미래가 불안하기만 하다.

고조선보다 못하는 후손 같지 않은 후손이 대한민국을 수렁텅이로 몰고 가고 있다. 여기에서 빨리 빠져나오지 못하면 정말 회복 불가능한 상태로 갈 것이다. 예전에 일본의 고이즈미 총리가 부시 앞에서 노래 부르고 탬버린 치며 走狗(주구)짓 하다가 나라를 나락으로 추락시켰다. 지금도 일본은 회복 못하고 주구짓에 충성을 하고 있다. 거기에 한국이 자진해서 주구노릇을 자처하고 있으니 정말 창피하고 부끄럽고, 접시에 코 박고 죽을 맛이다. 후쿠시마 원전 오염수 방류는 기정사실화된 것 같은데 그 이후 벌어질 일을 어떻게 감당하는지... 국민들이 이번에도 그냥 넘길 것인가. 조중동의 언론 플레이에 속아 넘어가서 깨끗하다고 생각하며 반대하는 사람을 반국가세력으로 몰아세울지... 걱정이다. 답답하고 숨 막히는 여름을 보내고 있다.

(1) 모피무역을 통해 본 고조선

고조선은 일찍부터 중국과 밀접한 경제교류를 활발하게 하였다. 그런데 사무역私貿易이 아직 발달하지 않았던 고대 사회에서의 국제 무역은 대체로 관무역官貿易이었다. 사신이 다른 나라를 방문할 때 자기 나라의 특산물을 예물로 가지고 가서 그 나라의 특산물과 교환하여 오거나 비싼 값으로 파는 것이었다.

중국 ≪시경詩經≫ <한역>편에는 "(한후韓侯는) 예물로 비휴 가죽(표범 종류의 가죽), 붉은 표범 가죽과 누런 말곰 가죽을 바치었도다."라는 내용이 있다. 한후로 표현된 단군이 西周 왕실을 방문하면서 위의 물품들을 가져간 것은 고조선의 특산품이기도 했지만 중국인들이 이것들을 특별히 좋아했기 때문에 기록에 남아 있을 것이다.≪고조선연구≫윤내현.p773 중국 역사 속에 나오는 우리 민족에 관한 최초의 기록으로 그때 이미 고조선에서는 모피가 유행했다고 한다.

그러한 사실은 기원전 7세기 중국 춘추시대 제나라의 관중이 지은 것으로 알려진 ≪管子≫ <輕重甲>篇에 환공과 관중의 대화에서 확인된다. 환공은 당시 외국의 사신들이 중국을 방문하

아무도 알려주지 않는 고조선 이야기

지 않은 것은 중국이 정치를 잘못하기 때문이 아닌지 걱정을 하였다. 이에 대해 관중은 사신들이 가져오는 예물을 비싼 값으로 사주면 먼 나라의 사신들도 중국을 자주 방문하게 될 것이라고 대답하였다. 이 대화의 내용에서 고대에 외국의 사신들이 가져오는 예물은 단순한 선물이 아니라 상품으로서의 성격이 강했음을 알 수 있다.

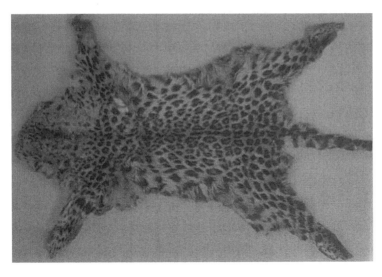

출처:《세상을 바꾼 다섯가지 상품이야기》홍익희. 위신재로 쓰인 문피

관중은 무늬가 아름다운 범과 표범의 가죽이자 고조선 특산물 문피(文皮, 호랑이나 범과 같은 얼룩무늬 맹수의 가죽)를 천하의 일곱 가지 중요한 특산물 가운데 세 번째로 꼽았다. 한 장

의 표범 가죽은 가치가 천금에 달하는 것이라 했다. ≪관자≫ <경중갑>편에서는 發과 조선朝鮮의 특산물로 표범가죽과 모피의류를 들었다. 고조선의 모피를 구입하자고 건의한 것은 중국의 여러 제후국들이 고조선의 고급모피를 구입하는 것을 알고 그들의 교역품을 제나라도 받아들인다면 고조선이 침략하지 않을 것이라고 대책을 내놓은 것이다. 고조선이 강국이었음을 엿볼 수 있는 대목이다.

≪후한서≫ <동이열전> '예전'에도 "무늬가 아름다운 표범 가죽이 많고, 과하마('삼척마'라고도 했으며 석기 시대부터 중국에까지 널리 알려진 말로, 과수나무 밑을 타고 지나갈 수 있을 정도로 왜소하나 성질이 온순하고 머리가 영리해 사람 말을 잘 따른다. 게다가 지구력이 좋아 높은 산길이나 고갯길을 넘어갈 때는 서양 말이 오히려 이 과하마를 따르지 못했다) 가 있으며, 바다에는 반어가 나는데, 사신이 올 때마다 이들을 바쳤다"라고 기록하고 있다.

≪관자≫에 등장하는 문피는 제 환공이 주변의 제후들을 거느리기 위해 공급하는 위신재(威身財)로서의 역할을 했던 것으로 보인다. "모피는 제작 공정이 많은 시간과 노력이 요구되는 작업인 탓에 정성과 비용이 많이 든다. 그래서 모피는 그 자체가 희소할 뿐 아니라 복잡한 제작 공정을 거쳐야 했기 때문에

고가에 거래되었다. 따라서 모피는 권위와 신분을 과시하는 위신재, 국가 간의 무역품목으로 선호되었다."(《모피와 한국사》, 김용만, 2012)

《삼국지》<위지동이전>에 보면 동이족(고조선) 사람들은 베옷과 가죽신을 신었다고 기록되어 있다. 고대부터 고조선 사람들은 베옷을 입고 짐승 가죽이나 모피로 가죽신을 만들어 신었다. "고대의 신발은 대부분 억센 풀잎이나 베 등으로 단순히 감싸는 형태로, 소재도 일상에서 쉽게 구할 수 있는 것으로 만들어졌다. 나중에 계급에 따라 신발을 달리 신기 시작하면서 짚신, 나막신, 옻칠 신발, 가죽신, 금동신발 등으로 분화된다. 가죽신은 귀족이나 전쟁과 사냥 때 전사들이 신는 최상 계급의 신발이었다. 이것이 널리 일반에 사용되었다는 것은 그만큼 가죽 산업이 발전해 있었다는 이야기이다."(《세상을 바꾼 다섯 가지 상품 이야기》 홍익희,2015,행성비)

고대 이래 세계사에서 모피가 차지하는 비중은 너무나 컸다. 고조선 역시 그러한 흐름에서 뒤처지지 않았다. 인간의 동물 가죽에 대한 욕망은 고대부터 이어져 내려왔고, 고조선이 중국과 활발하게 교류하는 계기일 수도 있다. 모피는 온대溫帶와 한대寒帶사이의 교역을 이어주는 세계사의 커다란 축이었으며 고조선은 모피 무역의 중심지였다. 그리고 고조선이 생각보다 무역 능력이 뛰어났음을 보여준다. 그 당시로는 고조선이 모피 패션의 최첨단이 아니었을까 하는 생각과 최초의 브랜드였는지도 모르겠다. 고조선의 국가경쟁력을 높일 수 있는 물품 중 하나가 바로 모피였다. 고조선의 모피는 단순히 고조선의 역사가 아니라 세계사의 흐름을 주도한 5대 물품 가운데 하나였으니 자부심을 가질만하다.

고조선이 생산했던 고급 가죽은 높은 수준의 가공 기술로 아름답게 만들어져 품질이 우수하고 희귀해 중국과 여러 나라와의 교역 상품이었고, 일반 가죽은 종류가 다양하고 양이 풍부해 일반 복식의 재료로 널리 쓰였다. 당시에는 동물의 종류가 다양해 담비, 놜, 사향노루, 복작노루, 승냥이, 물소, 청서, 호랑이, 곰, 등 육지 동물과 물개, 넝에, 고래와 같은 바다짐승도 있었다. 특히 담비, 놜,다람쥐 모피는 유연해 예부터 천하의 명 가죽으로 유명했다. 담비는 고급 복식 재료로 쓰이는 한편 수출도 많이 되었다. 가죽은 일반적인 복식의 재료가 되기도 하지만 갑옷에 부분적으로 사용되었다. 고조선 유적에서는 갑옷 위에 걸쳐 입었을 큰 새털옷도 함께 출토되어 전쟁시 새털이 방한용으로 사용되었음을 알게 한다.

중국 역사서에도 우리 산물 중 담비 가죽과 산삼을 첫 번째로 꼽았다. 이렇듯 담비를 잡으면 로또 당첨이었다. 시대별로 로또는 변하는 것이다. 모피 사냥은 세계 경제사에서 차지하는 비중이 상상 이상으로 높았다. 이는 유럽이나 북미 대륙뿐 아니라 우리나라에서도 마찬가지였다. 고조선 이후 조선시대에 이르기까지 담비 가죽은 우리의 중요한 무역 품목의 하나였다.

기원전 35세기경 수메르인에 의해 개화된 청동문화와 기원전 20세기 경 개발된 아리안족의 철기문화가 모두 북방 초원의 유목민들을 통해 전파되었다. 북빙 초원길의 한 쪽 끝은 수메르와 연결되어 있었고 또 다른 한쪽 끝은 고조선이었다. 고조선이 중국보다 먼저 청동과 철기문화를 열 수 있었던 것도 초원길 덕분이었다. 고조선은 중국 문헌에서도 나타나는 것처럼 드넓은 만주를 발판 삼아 북방 초원길의 주요 역할지 였다는 것을 알 수가 있다. 또 다른 한편에서는 다른 주장을 펼치고 있다.

우리나라에서 고조선 연구로 박사학위를 받은 첫 번째 역사학자는 한국교원대 송호정 교수다. 그는 서울대학교 국사학과 스승인 노태돈의 권유로 고조선을 연구했다. ≪한국 고대사 속의 고조선사≫,≪단군, 만들어진 신화≫가 그의 대표작이다.

특히 이 책에서는 송호정의 고조선관이 그대로 드러난다. 송호정의 고조선 연구는 일제 강점기 조선사편수회 출신의 이병도, 신석호와 그 제자들인 이기백, 이기동, 김정배, 서영수, 노태돈, 서영대 등 한국 주류 식민사학계의 견해를 거의 그대로 반복하고 있다. 송호정은 식민사학 스승들의 주장을 대변할 뿐 독창적인 견해가 없다. 그럼에도 그는 어린이와 청소년이 읽는 고대사 책의 대표적인 저자이며 동북아 역사재단의 총아이다.

서기전 7세기를 전후한 시기의 고조선을 초기 고조선이라고 할 수 있다. 이 당시 고조선은 일정한 정치체나 국가를 형성하지 못하고 지역집단이나 종족집단에 불과한 상태였다. —(송호정 ≪한국 고대사 속의 고조선사≫. 푸른역사. 2003.63쪽)

고조선의 역사 발전 단계는 서기전 4~3세기 철기가 보급되는 시기를 중심으로 전 · 후기로 구분할 수 있다. —(송호정 ≪한국 고대사 속의 고조선사≫. 푸른역사.2003. 18쪽)

"광복 후 독립운동가가 친일파의 손에 청산되면서 한국사 원형과 진실은 철저하게 갈기갈기 찢겼다. 조선사 편수회가 날조하고 왜곡한 역사는 이른바 '실증주의'로 치장되었고, 조선사

편수회가 가장 두려워한 독립운동가의 과학적 역사학은 '신념이 앞선 관념론', '국수주의'로 전락했다. 그렇게 한국사는 죽었다. 한국 주류 역사학계는 사실을 은폐하고 호도함으로써 역사 해석의 다양성 문제를 태생부터 부정했다. 한국 주류 역사학계가 일제 식민사관 시각에서 한국사 '정설'을 세우고, 정설과 다른 역사관을 이단시하면서 수립한 절대적인 도그마와 닫힌 해석은 진실과 거리가 먼 역사학이다." (≪한국사가 죽어야 나라가 산다≫ 이주한. 2013. 위즈덤하우스.)

(2) 고조선의 소금과 무쇠솥

세계 최고의 서해 갯벌은 생명체들의 보고다. 세계 5대 갯벌 지역은 미국 동부, 캐나다 동부, 아마존 강 하부, 북해 연안, 그리고 우리의 서해다. 이 중에서 생물 다양성 측면을 고려해 볼 때 우리 서해가 단연 돋보인다. 게다가 서해 갯벌에서 좋은 소금이 생산됐다. 고대에는 지금과 같은 완전한 천일염은 만들지 못하고 갯벌에서 증발시킨 소금물을 마지막에 토기나 솥에 넣고 끓여서 소금을 생산했다. 그래서 땔감이 많고 갯벌이 좋은 곳에서 소금을 생산했다. 주로 강 하류와 바다가 만나는 곳에 그런 곳이 많았다. 대부분의 고대문명이 강 하류에서 발달한 이유다. 서해안은 수심이 얕은 바다다.

고조선의 발해만 수심은 22미터 남짓이다. 고대의 고기잡이와 염전이 고조선의 발해만 부근과 양쯔강 입구의 저우산군도에서 가장 먼저 발달한 이유다. 게다가 서해는 대륙붕으로 난류와 한류가 만나는 특성상 연근해에 어족도 풍부했다. 고대부터 발해만은 동양 제일의 어장이었다. {기원전 4세기 중국의 ≪山海經 산해경≫에도 고대 한국과 관련된 기록들이 있다. "동해의 안쪽, 북해의 모퉁이에 조선이라는 나라가 있는데 하늘이 그 사람들을 길렀고 물가에 살며 남을 아끼고 사랑한다"라는 내용이 있다. 여기서 그들이 이야기한 '동해'는 서해이며, '북해'는 발해를 의미한다. 이로 미루어 보았을 때 고조선의 영토는 발해만 연안에 있었음을 알 수 있다.}《세상을 바꾼 상품 이야기》홍익회, p71. 인류의 4대 문명 발생지는 모두 강 하류에서 발달했다. 물, 식량, 땔감과 소금을 쉽게 구할 수 있는 곳들이었다.

홍산 지역은 강 하류가 아니었는데도 이 모든 조건을 갖추고 있었다. 특히 염호(소금호수)와 염수(소금강) 가 있어 사람들이 몰려들었다. 그래서 문명이 다른 곳보다 빨리 탄생되어 클 수 있었다. 홍산문화는 초원길 한가운데 있었는데 고대에는 초원길이 문명의 탄생지이자 문명전파의 고속도로였다. 우리 조상들 역시 고조선시대부터 소금을 사용했다. 고조선에는 염수라는 소금강이 있었다. 지금의 랴오허(遼河) 강 서쪽 상류다. 이곳 소금물을 이용해 소금을 생산했다. 고조선의 영역으로 추정되는 랴오닝(遼寧) 성 지방 유적에는 옥 장식품과 청동솥이 발견되었다. 이미 기원전 4500년 이전에 청동 솥이 있었다는 이야기다. 한반도에서도 철로 만든 쇠솥은 청동기 문화에 해당되는 고조선 유적에서부터 발견된다. 이렇듯 고조선에서는 가

마솥이라 부르는 무쇠솥이 있었다.

{서기 전 7세기를 전후한 시기의 고조선을 초기 고조선이라고 할 수 있다. 이 당시 고조선은 일정한 정치체나 국가를 형성하지 못하고 지역집단이나 종족집단에 불과했다.}-(송호정≪한국 고대사 속의 고조선사≫2003. 푸른 역사. 63쪽) 송호정은 자신의 저서를 통해 고조선은 서기전 7세기에나 등장하는데 그것도 국가를 형성하지 못하고, 지역집단이나 종족집단에 불과한 상태였다고 설명한다. 송호정의 고조선 연구는 조선사편수회 출신의 이병도, 신석호와 그 제자들인 이기백, 이기동, 노태돈, 서영수, 김정배(박근혜 정부 때 국사편찬위원장) 등 한국 주류 식민사학계의 견해를 거의 그대로 반복하고 있다. 자기 자신의 독창적인 견해는 없고, 그럼에도 불구하고 어린이와 청소년이 읽는 고대사 책의 대표적인 저자이며 동북아역사재단의 총아다. {고조선의 역사 발전 단계는 서기전 4~3세기 철기가 보급되는 시기를 중심으로 전·후기로 구분할 수 있다.}-(송호정,<같은 책> 18쪽) 앞에서는 서기전 7세기 전후를 고조선 초기라고 하더니 위에서는 고조선의 역사 발전 단계는 서기전 4~3세기를 전·후기로 구분할 수 있다고 구렁이 담 넘어가듯이 어물쩍 말한다. ≪한국사가 죽어야 나라가 산다≫이주한. 103쪽

고조선시대에는 널리 펼쳐진 갯벌 웅덩이에 바닷물을 가두어 소금물을 만들었다. 고대에는 이 증발된 소금물을 토기나 무쇠 솥에 넣고 끓여 소금을 만들었다. ≪漢書한서≫<地理志지리지> 기록에 "고조선은 생선과 소금, 대추, 밤 같은 것이 풍족히 났다"는 것을 보아 해안가에서 어업과 제염이 같이 이루어진 것으로 보인다. 그리고 소금에 절인 생선이 널리 유통되었던 것 같다. 바닷가 백성은 소금을 굽거나 물고기를 잡아, 팔아서 살았다. 삼면이 바다와 갯벌로 둘러싸인 우리나라에서는 선사시대부터 자연스럽게 바닷물로 소금을 생산했을 것으로 보인다. 우리 고대의 煮鹽(자염)은 진흙 갯벌에서 말린 소금물을 써래질해 염분 농도를 높인 후 가마솥에서 8시간 정도를 끓여 만든 소금이다. 이는 처음부터 토기에 바닷물을 넣고 끓이는 중국의 생산방식과는 달랐다. 당시 고조선의 소금 제조방식이 중국보다는 우월했던 것 같다. 토기보다는 가마솥에 넣고 끓이는 것이 생산성과 품질 양면에서 모두 월등했다. 이러한 용기의 차이는 당시 양국의 과학기술의 차이이기도 했다. 품질 좋은 소금의 무역이 국운을 갈랐다.

예부터 서해는 밀물과 썰물의 차가 크고, 증발량이 많으며, 갯벌이 넓어 큰 염전이 발달했다. 염전을 일구어 소금을 생산할 수 있는 나라는 예상외로 극히 드물다. 이런 의미에서 고조선은 천운을 얻었다. 이것이 국운을 갈랐다. 천일염은 암염에 비해 순도도 높고 귀해 그 무렵 최고의 고가품으로 국가 경제와 재정에 큰 도움이 되었을 것이다. 그래서 고조선이 부강한 이유다. 후대에도 소금은 우리 민족의 귀중한 국가자산이었다. 고구려, 백제, 신라 모두 영토 팽창 과정에서 맨 처음 확보한 지역이 소금 산지인 해안선이었다. 이렇게 고대에는 소금 산지 확보가 국가 건국의 가장 중요한 요소였다.

소금은 경제적 용도 이외에 정치적으로도 막강한 무기로 쓰였다. 고조선을 맹주로 하는 연맹체제와 거수국 관계는 고조선이 소금과 철의 유통을 통제함으로써 손쉽게 권력을 집중시킬 수 있었다. 또한 소금 상인으로 알려진 연타발과 그의 딸 소서노의 재력이 없었다면 주몽이 고구려 건국에 성공하기 힘들었을 것이다. 소금을 지배하는 자가 세상을 얻었다. 고조선은 주변 연나라, 제나라는 물론 남방의 먼 곳과도 무역을 했다. 기원전 8세기로 추정되는 랴오둥 반도의 강상무덤에서 발해만에서는 나지 않는 열대지방 보배조개가 출토되었다. 이는 고조선의 중심지인 랴오둥 반도에서 해로를 통해 남방 상인들이 몰려와 원거리 교역이 이루어졌음을 뜻한다. 고조선에서 각궁을 만드는데 쓰이는 남방 물소의 뿔이 많이 조달될 수 있었던 것도 이런 귀한 소금 덕분이었다.

기록과 유적지에서도 발견되고 확인되고 있는 사항을 일제 식민사학자들은 애써 무시하고 고대사를 특히 고조선사를 왜곡, 날조하고 있는 것이다. 한국 주류식민사학계의 총아라 불리는 송호정 교수는"고조선은 서기전 7세기부터 서기전 108년 한나라에서 멸망할 때까지 존속한 우리 민족 최초의 나라를 가리킨다. 고조선의 역사는 중간에 철기를 사용하면서 나라의 모습이 크게 달라졌기 때문에 청동기를 주로 사용했던 시기인 전기 고조선과 철기를 주로 사용했던 후기 고조선으로 나눌 수 있다."-한국교원대학교 역사교육과 ≪아틀라스 한국사≫, 사계절 2004,22쪽' 송호정으로 대표되는 한국 주류 식민사학계의 고조선관은 이렇다. 교원대학교가 어떤 곳인가? 어린 초등생을 가르치는 선생님들을 배출시키는 학교이다. 이런 관점을 가진 송호정이 국민 세금으로 운영되는 교원대학교 교수로 있으면서 예비 교사들에게 일제 식민사관을 주입한다. 이 부분에 관한 한 김용섭의 말대로 "여기는 아직도 총독부 세상"인 것이다.

출처:《세상을 바꾼 다섯 가지 상품 이야기》홍익회. 인천 주안 염전

대한제국은 개항 직후 밀려드는 중국 산둥반도의 값싼 천일염(호렴)이 밀려들어 국내산이 고사 직전에 몰렸다. 이에 대항코자 인천의 동부 주안 개펄 3천 평을 택해 천일제염 시험염전을 축조했다. 1907년 주안에 만들어진 주안 염전이 최초의 천일염 염전이었다. 이 염전은 지형, 지질, 기후가 적합해 성공을 거두었다. 이것이 우리나라 최초의 근대식 천일염전이었다. 일본은 천일염을 생산할 수 있는 지형적 조건을 갖춘 곳이 없었다. 우리나라와 같은 대규모 갯벌이 없기 때문이다. 따라서 일제강점기 총독부는 계획적으로 이러한 염전들을 서해안에 확대했다. 인천 주안에서 시작된 염전은 시흥의 군자, 1934년에는 시흥의 소래까지 점차 확대되었다. 남한 제일의 천일염전지

아무도 알려주지 않는 고조선 이야기

대라는 평판을 얻었다. 염전의 활성화로 인해 촌락이 발달했고 중국인 노동자도 많이 유입되어 중국인 마을도 생겨났다. 인천에 최초의 차이나타운이 생긴 연유였다.

세상이 많이 변해 소금이 권력이요, 부 자체여서 소금을 얻기 위해 전쟁도 불사했던 인류사를 떠올려 보면 오늘날 우리는 정말 소금 귀한 줄 모르고 살고 있었다. 그런데 일본의 후쿠시마 원전 핵폐기물인 오염수를 방류하게 되면 소금의 생산지인 서해안 일대는 오염이 되어 생산을 못 하게 될지도 모르겠다. 그래서인지 시중에는 소금 사재기가 있는 모양이다. 한국인 식탁에, 아니 인간의 식탁에서 소금 하나 안전하다고 뭐가 달라질까 싶다. 당장 미역, 김, 멸치, 생선이 다 해산물이고, 온갖 장류며 젓갈류가 다 소금이 필요한 것들인 데다, 사 먹는 음식들, 대기업 식품들까지 오염수 방류 전 소금으로 만들 것이 아닌가. 그렇다면 일본의 오염수 방류 자체를 막아내지 못한다면 이런 소소한 사재기가 무슨 의미가 있을까. 어른들은 그렇다치고 아이들만이라도 새로운 터전에서 깨끗하고 풍요로운 자연의 품에 안겨 살아갈 수 있으면 좋겠는데, 그럴 수 있을까. 현실이 너무 막막해 괜스레 아이들에게 미안해지는 마음이 무겁기가 한없다.

후쿠시마 원전 핵폐기물 방류를 원천적으로 막아야 근본적으로 해결될 문제인데 식약처는 공급 부족이 일어날 경우를 대비해 제조공장을 방문해 소금이 안정적으로 공급될 수 있도록 적극 협조해 달라고 했다고 한다. 참으로 어처구니가 없는 상황이다.

아무도 알려주지 않는 고조선 이야기

2. 고조선의 사회성격

여전히 고조선을 국가 단계의 사회로 보는 것에 대해서 의문을 품고 있는 학자들이 있다. 물론 식민사학자들이다. 이런 학계의 분위기 때문에 고조선 사회에 대한 연구는 그간 학계에서 깊이 있게 진전되지를 못하였다. 고조선 사회의 구조를 확인하고 그것이 어떤 신분들로 구성되어 있었는지를 밝히는 것은 의미 있는 일이 될 것이다. 고조선은 농경사회로서 한반도와 만주 전 지역에 있었던 많은 마을들로 구성되어 있었기 때문에 고대 그리스와 같은 도시국가(또는 성읍국가:이기백 주장)와는 사회성격이 다를 수밖에 없다.

서양의 도시국가에서는 도시가 형성되면서 촌락이 와해되고, 이에 혈연조직인 씨족조직도 붕괴된 반면에 고조선에서는 종래의 마을들이 그대로 존속되면서 국가를 형성하였기 때문에 씨족조직이나 씨족 관념이 그대로 계승되었다. 이점은 한국의 고대사회가 서양의 고대사회와 다른 성격을 형성하게 된 주요한 요인 가운데 하나였다.

고조선은 한반도와 만주지역에 산재해 있었던 여러 마을들로 구성되어 있었다. 따라서 고조선은 마을들이 모여서 이루어진 '마을集積國家'(집적국가)였다.(윤내현 주장) 고조선의 각 지역에는 그 지역의 여러 마을들이 연맹을 형성한 거수국들이 있었다. 거수국의 여러 마을 가운데는 거수가 거주하는 마을이 있었다. 이 마을을 국읍(國邑)이라 불렀다. 국읍 이외의 일반 마을들은 읍 또는 읍락이라 불렀다. 고조선의 중앙에는 단군이 직접 다스리는 직할국이 있었다. 그곳에는 고조선 전체의 통치자인 단군이 거주하는 도읍, 즉 아사달이 있었다.

고조선에는 도읍보다 중요한 곳이 있었는데, 그곳은 태백산에 있는 神市였다. 神市는 고조선의 종교 성지로서 정신적 중심지였다. 그곳은 하느님 환인의 아들 환웅이 강림한 곳이라고 전해오는 곳으로서 고조선이 건국되기 전부터 종교의 성지였다. 고대사회에서는 종교가 정치위에 있었기 때문에 신시는 도읍보다 중요한 의미를 지니고 있었다. 다른 나라의 고대사회에서도 마찬가지였다.

고조선의 사회구조는 읍, 국읍, 아사달, 신시 등의 명칭을 가진 마을들이 상하관계로 되어 있었다고 말할 수 있다. 이를 구체적으로 설명하면 일반 읍에는 피지배 신분의 씨족들이 거주했고 국읍에는 거수와 그 씨족들이 거주했다. 그리고 아사달에는 단군과 그의 씨족이 거주했고 신시에는 종교 지도자들이 거주했다. 고조선 사회는 대체로 지배귀족, 평민, 서민, 노예 등이 신분으로 나누어 볼 수 있다. 이 가운데 노예는 사람으로 대우받지 못하였고 동물이나 물건과 같이 재산으로 취급되었기 때문에 엄격하게 말하면 사람의 신분에 포함되지 않는다.

지배귀족은 단군을 정점으로 하여 종교지도자들인 선인仙人,(≪삼국사기≫ 권17,<고구려본기>동천왕 21년조. 단군 왕검을 '선인왕검'이라 부른 기록이 확인된다. 단군을 종교지도자로 부를 때에는 선인이라고도 했음을 알게 해준다) 각 지역의 渠帥, 相, 將軍, 大夫, 博士 등 무관과 문관들의 관료집단, 즉 이들은 사회적 신분이 높았을 뿐만 아니라 정치적 권력과 경제적 이권도 차지하고 있었다. 농경지도 대부분 그들이 차지하고 있었다.

옛 문헌에는 우리나라의 고대사회에는 諸加(제가), 또는 大家라고 불린 귀족· 豪民(호민) · 民 · 下戶(하호) · 노비 등이 있었던 것으로 기록되어 있다. 하호는 직접 노동에 종사하는 피지배 신분이었고 이들은 대부분 지배귀족을 위하여 봉사하였다. 고조선은 이러한 하호들이 마을 공동체를 이루어 살며 고조선의 기층을 이루었을 뿐만 아니라 고조선 인구 가운데 많은 비율을 차지하고 있었다.

고조선의 사회 구조와 옛 기록에 나타난 신분의 명칭을 구성해 보면 신시의 종교지도자, 단군 씨족, 거수 씨족 등은 그들 사이에 신분이 높고 낮음이 있기는 했지만 모두가 제가 또는 대가에 속하는 지배귀족 신분이었고, 일반 읍의 거주민은 하호로서 귀족에게 종속되어 농사를 짓는 피지배 신분이었다. 그리고 민은 귀족에서 갈라져 나온 사람들로서 정치적 권력은 없었으나 하호보다는 신분이 높았고 귀족에게 종속되지 않은 자경 농민들로서 평민이었을 것이다. 이 가운데 부유한 사람들을 호민이라 불렀을 것이다. 호민과 민은 동일한 신분이지만 재산이 많고 적은 차이가 있을 뿐이다.

고조선 사회에 노예가 있었음은 앞에서 소개한 '범금 팔 조'의 내용에 남의 물건을 도적질한 사람은 그 주인의 노예가 된다는 규정이 있는 것에서 확인된다. 노예의 주된 공급원은 법을 어긴 사람들이나 전쟁 포로였을 것이다. 고조선의 법에 따라 절도죄를 지으면 노비가 되었다. 주인이 죽으면 그의 무덤에 순장되기도 하였다. 이런 사실은 옛 기록에서도 확인되지만 고고학 자료를 통해서도 확인된다. 요령성 여대시에서 발굴된 고조선시대의 무덤인 崗上(강상) 무덤과 樓上(누상) 무덤에서는 많은 순장인이 확인되었다.

출처:《단군조선서》김영주. 대원 출판. 고조선 관련 주요 유적.

출토된 유물에 따라 고조선시대의 무덤을 크게 두 종류로 나누어볼 수 있다. 청동기가 출토된 무덤과 그렇지 않은 무덤이다. 고조선은 청동기시대였는데 당시 청동기는 지배층의 독점물이었다. 그러므로 청동기가 출토된 무덤은 지배 귀족의 무덤임을 알 수 있다. 이들의 무덤에서는 농구가 출토되지 않은 것은 이들이 농경에 종사하지 않았다는 것을 말해준다. 이들의 무덤에서 마구류와 수레 부품이 출토되는 것은 이들이 말과 수레를 이용했음을 말해준다.

여기에서 조심해야 할 게 있다. 그것은 무덤에서 마구류가 출토되었다고 해서 그들을 기마족으로 보아서는 안 된다는 것이다. 농경사회에서도 지배층은 말과 마차를 교통수단으로 이용했기 때문이다. "일본 학자 가운데는 일본을 건국한 사람들은 대륙에서 건너 온 기마인들이라고 주장하는 사람들이 있다. 소위 기마민족국가설이다. 일본인 자신이 우리나라에서 건너간 사실을 인정한 것처럼 보인다. 그러나 이 주장은 경계해야 한다. 그 주장대로라면 우리나라는 기마인들이 일본으로 건너가는 통로 역할 밖에 하지 못한 것이 된다. 기마인들은 정착민이 아니기 때문에 우리나라에서는 토착문화를 이루지 못했고 일본 열도에 이르러서야 토착문화를 이루고 나라를 세웠다는 것이다. 결국 우리나라의 고유문화를 인정하지 않기 위한 술수인 것이다. 이런 교묘한 술수에 맞장구를 쳐서는 안 될 것이다."(윤내현≪고조선,우리역사의 탄생≫만권당.2016.)

고조선의 국가 경제는 하호와 노비들이 노동에 의해 뒷받침되었을 것이다. 고조선의 사회구조로 보아 하호의 인구가 가장 많은 비율을 차지하고 있었을 것이므로 고조선의 주된 생산 담당자는 하호였을 것이며 노비들은 주로 보조 역할을 하는 위치에 있었을 것이다. 고대 그리스에서는 생산을 담당했던 노예의 인

아무도 알려주지 않는 고조선 이야기

구가 일반 시민의 인구보다 훨씬 많았다. 그러므로 이 시대를 노예제 사회라고 부른다. "고대 아테네에서는 우선 노예의 수를 보면 서기전 4세기 말에 시행된 한 인구조사에 따르면 당시 아테네에는 시민 21,000명 거류외인 10,000명, 노예 400,000만명이 살고 있어 노예가 시민의 20배가 되었다고 전해온다." 신선희《서양고대와 중세의 사회》1993, P225. 그러나 고조선의 인구는 확인된 바 없으나 그 사회구조로 보아 노비가 하호와 평민보다 많은 수를 차지했을 것으로 보기 어렵다. 그래서 고조선 사회를 서양고대와 같은 노예제 사회라고 보기에는 어렵다.

카를 마르크스가 세계경제에 지대한 공헌을 한 것은 부인할 수 없지만 마르크스 역시 유럽인이고 그 당시 아시아에 대한 전무한 지식을 갖고 있었다고 봐도 무리가 없을 것이다. 아시아적 공동체라는 용어나 총체적 노예라는 용어도 이러한 지식의 바탕 위에서 나왔다고 봐야 하겠다. 유럽중심주의 역사해석관. 이제는 역사해석을 한국을 포함 동아시아는 물론이고 세계 각 지역의 고대사회와 서양의 고대사회에 동일하게 적용할 수 있는 세계사적 보편성을 가진 새로운 개념정의가 필요하다고 본다. 보편적 새로운 개념정의는 각 지역의 고대사회에 관한 자료를 근거로 해서 해석함은 두말할 필요가 없다.

18세기부터 유럽의 제국주의는, 자기들 발아래 놓여있는 민족은 열등한 민족으로 치부하여 모든 분야에서 유럽중심주의로 해석하고 억지로 꿰맞춘 이론틀로 각 지역의 특성과는 무관하게 맞추려 하다 보니 폐해가 생겼다. 오늘날의 중동이 하루 한시도 편한 날이 없이 전쟁에 시달리는 것도 제국주의 영국과 프랑스가 책상에 앉아 자를 대고 마음대로 국경선을 그은 결과로, 종교·문화·종족·언어 등은 고려치 않고 자기들 이익선에 맞춰 선을 그은 결과이다.

한국 역시 일본제국주의 논리에 따라 역사를 해석·왜곡한 결과 심한 고통에 시달리고 있다. 그 폐해는 지금 이 순간에도 우리의 가슴과 목을 짓밟고 있다. 일본은 자기들 이익이 있으니까 한다고 하지만 거기에 충성하는 한국인들은 무엇을 위해 매국을 할까? 독도 영유권 문제, 강제징용 배상 문제, 위안부 문제, 후쿠시마 오염수 방류 문제 등 … 일본과의 군사동맹은 한국의 무덤을 파는 것이다. 매국노들은 그 당시만 살고 나중에는 자기들이 죽으니까 상관없다는 심보일까? 인간이 아니고 인간의 얼굴을 한 악귀요 사탄들이다. 인간의 삶을 근시안적으로 산다는 것은 너무 이기적이라고 밖에 할 수가 없다.

아무도 알려주지 않는 고조선 이야기

고조선 말기인 서기 전 5세기 이후 철기가 일반화되면서 마을 집적 국가의 구조는 와해되기 시작하였다. 철제 농구에 의한 노동 능률의 향상은 집단 농경을 와해시켜 마을공동체의식을 약화시켰다. 따라서 토지 소유주인 지배 귀족과 농민 사이의 생산관계가 씨족이나 마을 단위가 아닌 1가나 1호 단위로 변하는 현상이 일어나게 되었다. 이는 종래의 사회질서를 근본적으로 와해시키는 것이므로 고조선 사회의 동요를 가져왔다. 그 결과 마을 집적국가구조의 붕괴를 가져와 고조선 멸망의 주요 요인으로 작용하게 되었다. 이후에는 領域國家(영역 국가)를 추구하는 열국시대가 출현하였다. 역사를 보면 나라든, 제국이든 멸망을 하려면 꼭 등장하는 X이 있다. 무능한 사람이나 독재를 하는 사람이 나타나 그 국가를 다 말아먹는다는 것이다. 그런 상태가 지금의 대한민국이다.

제 4 장
고조선의 종교 및 과학

1. 고조선의 종교와 예술

세계 어느 지역이나 고대에는 종교가 정치위에 있어서 그 사회를 지배했다. 이런 상황은 우리 고조선도 마찬가지였다. 문화의 중심은 다른 지역과 마찬가지로 종교였다. 고조선의 종교는 仙敎(선교)였다. 선교의 핵심사상은 '단군 신화'에 함축되어 있는데 그것은 고조선이 건국되기 전부터 전해 내려오다가 고조선의 건국과 더불어 한민족의 종교와 사상으로 자리 잡았다. 그동안 일부 학자들은 우리의 고대 종교를 신교(神敎), 신선교(神仙敎), 산신교(山神敎) 등으로 불러왔으나 그러한 명칭은 학술적인 연구로 얻은 결과가 아닌 것이다. 고조선 종교의 명칭에 대해서 시사해 주는 기록은 ≪삼국사기≫에 실려 있다. ≪삼국사기≫에서는 고조선의 단군을 仙人이라 기록하고 있다.

≪삼국사기≫<고구려본기>동천 왕조에는 고구려가 중국 위나라 관구검의 침략을 받아 환도성에 다시 도읍을 할 수 없게 되어 평양성으로 도읍을 옮겼는데 평양은 본래 선인왕검이 거주했던 곳이라고 기록되어 있다. 여기서 단군왕검을 선인왕검이라고 부르고 있다. 단군을 선인이라고도 불렀던 것이다. 선교는 하

느님을 최고신으로 숭배하였다. 선교의 최고지도자는 단군이었다. 단군을 포함한 선교의 지도자들을 선인이라 하였다.(최치원은 난랑의 비 서문에서 말하기를 "신라에는 현묘한 도가 있으니 이를 풍류(風流)라 한다. 그 교의 기원은 ≪仙史≫에 자세히 실려 있다."고 하였다. 이 기록에서 선교라는 명칭이 확인된다.)(≪삼국사기≫권 4, <신라본기>진흥왕 37년 참조) 고조선에는 종교적 중심지로 하늘에 의식을 행하는 神壇(신단)이 있었다. 그래서 선인을 신선이라고도 하였다. 이러한 신선사상은 후에 중국 도교의 형성 과정에서 중요한 요소 가운데 하나가 되었다.

이런 사실을 뒷받침해 주는 기록이 ≪사기≫에도 보인다. ≪사기≫<진시황본기>에는 진제국의 시황제가 오늘날 산동성에서 서불(徐市: 徐福이라고도 부름)을 중국의 동쪽 바다에 보내어 선인들이 사는 봉래(蓬萊), 방장(方丈), 영주(瀛州)의 三神山을 찾아가 불사약(不死藥)을 구해 오게 했다는 기록이 있다. 그런데 중국의 산동성으로부터 동쪽 바다를 항해하면 고조선에 도착한다. 따라서 서불이 선인을 찾아간 곳은 고조선 땅이었다. ≪사기≫<진시황본기≫ 내용의 주석에 따르면 ≪괄지지≫라는 책에 서불이 선인을 만나기 위해 바다를 항해하여 찾아간 곳은 단주(亶洲)라 불리는 땅이었다고 기록되어 있다고 한다. 그런데 단주가 어디였는지에 대해서는 아직까지 아무도 말한

바 없다. 윤내현 교수는 단주는 고조선이었다고 말하고 있다.
"그 이유는 이러하다. 단주는 '단의 땅'이라는 뜻이다. 이것은
단군이 다스리는 땅이라는 뜻으로 해석된다. 고조선의 단군은
≪삼국유사≫에서는 壇君이라 표기했고 ≪제왕운기≫에서는
檀君이라 표기했다. 단 자를 각각 다른 漢字로 표기했다.

왜 단자가 각각 다른 한자로 표기되었을까? 그 이유는 단군이
라는 명칭이 순수한 우리 고대어였기 때문이다. 그것을 한자
로 표기하면서 그 음에 따랐기 때문에 단자가 각각 다르게 표
기된 것이다."(윤내현≪고조선, 우리 역사의 탄생≫만권당.) 우리나라에도
서불이 고조선에 도착했음을 알게 해주는 전설이 남아 있다.
경남 남해군 금산에는 중국의 고문자로 새긴 마애석각이 있
다. 그 내용은 "서불이 일어나 일출에 예를 올렸다(徐市起, 禮
日出).)"는 것이다. 제주도 서귀포시에 있는 정방폭포에도"서
불이 이곳을 지나갔다"라고 새긴 마애석각이 있다. 이런 유적
과 전설은 진시황의 명을 받은 서불이 선인을 만나 불사약을
구하기 위해 고조선에 왔음을 알게 해준다.

출처:《한민족의 뿌리와 단군조선사》김영주.대원출판. 단군시대의 제
천단으로 전해지는 참성단.강화도 마니산의 참성단이 있다.

선교의 정치사상과 사회사상의 요체는 인간을 널리 이롭게 하
고 더불어 행복한 사회를 만드는 것을 목표로 하는 '홍익인간'
이념이었다. 단군사화에 의하면 태백산이 인간을 널리 이롭게
하기에 알맞은 곳이므로 환웅은 그곳에 神市를 베풀었다. 따라
서 '홍익인간' 이념은 고조선 건국 이전에 있었던 이념인데 고
조선 건국과 더불어 한민족 전체의 이념으로 확산되었던 것이

아무도 알려주지 않는 고조선 이야기

다. 우리 민족은 고대부터 민주주의 사상이 있었던 것임을 알수 있다. 하느님의 아들인 환웅은 지상에 내려와 인간을 지배하거나 인간들로부터 경배를 받은 것이 아니라 '홍익인간'이념을 실천하여 더 좋은 인간 사회를 만들기 위해 노력하였다. 현대인들이 왜 역사 공부를 열심히 해야 되는지 이 대목을 봐도알 수 있다. 혼자 잘 사는 나라가 아니고 '신과 인간이 더불어번영하는 사회를 만들어야 된다' 하는 문구는, 지금의 한국 사회를 지배하는 사람들이 새겨들어야 할 문장이다. 그런데 지금 행동으로 봐서는 기대하기는 힘들 것 같다.

그 당시 선조들은 지금의 정치인들보다는 몇 만 배 수준 높은사람이었음을 알 수가 있다. 현 정치 지도자들은 미개하고 야만인들이다. 중국사와 비교하여 볼 때 한국사의 특징 가운데하나는 규모가 큰 농민 봉기가 적었고 한 왕조가 오래 계속되었다. 중국은 대개 농민봉기에 의해 왕조가 교체되었는데 한국은 그렇지 않았다. 한국 사회가 이러한 특징을 지니게 된 것은인간을 널리 이롭게 하고 더불어 행복한 사회를 만들어야 한다는 '홍익인간'이며 모든 일을 조화와 융합으로 해석하고 실천하려는 정신이 정치와 사회에 퍼져 있었기 때문이었을 것이다. 지금은 분열과 대립이 극에 달해 언제 폭발할지 모르는 활화산의 형국이다. 5천 년의 역사를 주변의 강대국에서 살아남 았던 것은 민주주의 정신이 살아 있었기 때문이다.

고조선의 역사에서 배울 것은 그 당시의 고조선 사회는 수확 의 20분의 1이라는 낮은 세율의 세금을 거두어들였다. 이렇게 낮은 세금을 거두어들이면서도 국가 운영이 가능했던 것은 왕 릉을 크게 만들지 않고 종묘와 궁궐도 크게 짓지 않으며 관직 도 꼭 필요한 것 외에는 설치하지 않고 대신들 사이에 폐백도 주고받지 않기 때문이다. 한마디로 그 사회의 지도층들은 솔선 수범하여 사치하지 않고 세금을 백성의 血稅로 생각하여 신중 하게 썼던 것이다.

지금은 어떤가? 멀쩡하게 좋은 집 놔두고 이전한다면서 몇 조 를 쓰고 그런데 안 쓸 것 같이 나가 놓고 전에 살던 집에서 회 의도 하고 손님도 받고 그러면 이전한다고 돈 가져간 것은 어 디다 썼는가? 사치는 말할 것도 없고, 행사 치르는 비용은 어 떻게 하고 행사를 엉망진창 만들어 놓고, 이미 정해 놓은 도로 를 자기들 이익을 위해 도로를 꺾어서 자기들 땅으로 연결 지 으려 하는 심보는 뭔가? 나열하기가 창피스럽고, 수치스럽고 분노가 치밀어 오른다. 국민들이 세금을 그렇게 쓰라고 냈는

아무도 알려주지 않는 고조선 이야기

가? 참으로 미개하고 야만스러운 사람들이다. 그런 사람들하고 같이 살고 있다는 게 수치스럽다.

고조선에는 수준 높은 문학작품도 있었다. 조선시대까지 전해오다가 사라진 神誌(신지)가 시적 표현으로 저술했다는 ≪신지비사≫가 있었고, 중국 晉(진) 나라의 최표가 편찬한 ≪고금주≫에는 고조선의 곽리자고의 부인 여옥이 지은 <공후인>이 전해오고 있다. 그 내용은 님아 가람 건너지 마소/ 님은 그예 건너시네 / 물에 들어가 돌아가시니/ 아아 님아 어이하리이다. 전해 오는 바에 의하면 어느 날 새벽 곽리자고가 강가에 나갔다가 머리가 하얀 노인이 아내의 만류를 뿌리치고 강물 속에 뛰어들어 죽자, 그 아내가 공후를 타며 슬피 울다가 자기도 강물에 몸을 던져 죽는 것을 보았다. 그것을 곽리자고가 그의 아내 여옥에게 말하자 여옥은 늙은 부부의 비극적 운명을 공후를 타며 자기의 감정으로 노래한 것이 <공후인>이라 한다. 이 것을 볼 때 고조선에 시를 짓고 그것에 곡을 붙여 노래를 만들 수 있을 능력을 가진 여인들이 많이 있었음을 유추해 볼 수가 있다.

고조선에는 공후라는 현악기가 있었음을 알 수 있고, 노인의 아내와 여옥이 모두 공후를 가지고 있었다면 그 악기는 상당히 보급되어 있었음을 알 수 있다. "고조선에는 '고'라고 불리는 현악기도 있었던 것 같다. 고구려의 고는 거문고, 가야의 고는 가야고, 백제의 고는 백제고, 신라의 고는 신라고라 불렸던 점으로 보아 이 악기들은 고조선 시대에는 '고'라고 불렸던 것이 후에 지방적 특징을 보이면서 다른 명칭을 갖게 된 듯하다."(宋芳松(송방송) ≪한국 음악의 원류≫ ≪한민족≫ 창간호, 1989, pp107~127.) 그리고 함경북도 웅기군의 서포항 유적의 고조선시대 문화층(청동기 문화층)에서는 뼈로 만든 피리가 출토되었는데, 이러한 악기는 상당히 널리 사용되었을 것이다. 이 같은 악기의 사용처는 제천의식과 같은 종교의식은 물론이고 일상에서도 사용되었을 것이다.

지금의 한국 사회를 지배하는 몇몇 사람들은 순수 한국인이 아니다. 왜냐하면 고조선 사람들은 모든 것을 화합과 조화로 보려 했다. 하느님의 아들 환웅이 지상에 내려와 지상에 있던 곰, 호랑이 등을 폭력으로 지배한 것이 아니라 곰을 여자로 진화시켜 결혼하여 단군을 낳았다. 이것은 천상신과 지상신의 화합을 의미한다. 일본은 712년 성립한 ≪고사기≫ 상권과 720년 성립한 ≪일본서기≫ 권 1,2는 신들의 이야기로 시작되는데,

이것을 記記(기기) 신화라고 부른다. 기기에 나오는 신화는 명확한 주제 아래 편성되어 있는 데, 핵심은 천황의 조상이 하늘에서 내려와 지상의 신들을 복종시켰기 때문에 천황이 일본을 지배해 왔다는 것이며 이를 현실 역사의 시작이라고 여긴다. 그런데 ≪일본서기≫는 거짓과 왜곡으로 점철된 역사서이다. 일본인들은 시작부터 진실이 없으니 누가 믿겠는가? 그것을 진실이라고 외치며 믿는 한국인은 일본놈이라고 보면 맞다.

2. 고조선의 과학과 기술

인류의 발전과정을 보면 국가가 출현하기 이전의 시대를 흔히
선사시대나 원시시대라고 부른다. 선사시대는 당시의 기록이
남아있지 않은 시대를 말하고, 그와 반대로 역사시대는 당시
의 기록이 남아 있는 시대를 말한다. 만약에 사회수준이나 문
화수준이 매우 높은 단계에 이르렀더라도, 당시의 기록이 지금
까지 전하지 않으면 그 시대는 선사시대가 된다. 이는 당시의
기록이 남아 있는가 그렇지 않은가가 기준이 된다. 그래서 선
사시대나 역사시대라는 말은 시대를 구분하는 보편성을 지닌
용어로는 적합하지 않다고 생각한다. 마찬가지로 원시시대라
는 용어는 "미개한 시대'라는 의미를 가지고 있는데, 그 시대
나름의 사회적 · 문화적 특성이나 가치를 인정하지 않고 미개
하다고 평가한다는 것은 적절치 않다고 본다. 그래서 선사시대
나 원시시대라는 용어는 인류 초기 사회에 대해 우리의 고정관
념이 낳은 것은 아닐까 한다.

윤내현 교수는 선사시대나 원시시대라는 용어 대신 '국가이전
시대'라는 용어를 사용하고 있다. 일반적으로 고고학적 개념

아무도 알려주지 않는 고조선 이야기

인 구석기시대와 신석기시대로 나누는 것은 사람들이 사용한 도구를 기준으로 시대를 구분한 용어다. 그러나 역사의 주체는 사람이다. 사람들이 사용했던 도구가 주체일 수는 없다. 사람들이 남긴 유적이나 유물을 다루는 고고학의 시대 구분 용어로는 적합하겠지만 사람이 주체인 역사의 시대 구분용어로는 적합하지 않다. 사회의 특징이 기준이 되어야 한다. 윤교수는 '국가이전시대'를 무리사회, 마을사회, 마을연맹체사회로 구분한다. 고조선은 한민족이 한반도와 만주에 최초로 세운 국가다. 국가가 형성되려면 동서양을 막론하고 청동기시대였다. 고조선이 국가사회라는 데에 의문의 여지가 없는 것은 청동기시대였고 '범금팔조'라는 법이 존재했으므로 확실한 국가사회라고 볼 수 있다.

청동기의 발명과 사용은 인류사회의 성격을 크게 바꾸어 놓은 획기적인 것이었다. 석기만을 사용하던 시대에 청동기의 출현은 인류사회에 엄청난 변화를 가져왔다. 청동은 무기나 의기·장식품은 우선 석기에 비하면 찬란함에서 비교할 수 없었다. 돌을 깨부수는 청동무기의 위력은 공포 그 자체였을 것이다. 아마도 현대에 핵무기가 처음 발명되었을 때처럼 그 위력이 가지는 공포만큼은 되지 않았을까 싶다. 이런 위력을 가진 청동기시대 출현은 고조선 지역이 중국의 황하 유역보다 수백 년 앞선 서기전 2500년 경이었다. 이는 고조선 지역이 그만큼 과학의 발전이 빠르다는 것을 알 수 있을 뿐만 아니라 사회의 진화도 빨랐음을 의미한다. 국가의 출현도 고조선이 앞섰다. 핵무기가 없지만(만들기로 맘 먹으면 6개월이면 만들 수 있다고 한다) 요즈음 K-방산이 세계에서 두각을 나타내며 각광을 받고 있다. K-방산은 우연이 아닌, 우리의 국방 과학기술의 우수함은 필연이라고 말할 수 있겠다. 고조선시대부터 현대까지 면면히 내려오는 우리의 유전자 우수함은 과학기술도 세계 제일임을 자부할 수 있다. 타고난 한민족의 우월한 유전자와 성실한 노력의 결과가 아닌가 싶다.

새로운 과학기술은 그 시대의 사회에서 어느 정도 위력을 갖느냐 하는 것은 동시대를 살고 있는 그 주변국들과의 과학기술 수준과 상대적으로 평가로 결정된다. 청동은 생산도구로 사용되지는 않았지만 그 화려함과 위력은 당시까지 사용하던 석기와는 비교될 수 없을 정도로 우수했다. 그래서 그 영향력은 실로 막대했던 것이다. 예를 들어 고조선이나 중국의 商(상, 은) 나라가 그렇게 넓은 영토를 확보할 수 있었던 것은 당시의 지배층이 소유하고 있던 청동기의 위력이 크게 작용했을 것이다. 고조선의 청동기문화는 서기 전 1000년경에 이르면 매우 높은 수준에 이르게 되는데 이 시기는 고조선의 중기가 되겠다. 중기를 대표하는 청동기는 비파형동검인데, 이 시기에는 주조기술이 매우 발달하여 비파형동검 외에 우수한 무기, 장신구, 거울, 수레와 말의 장식품이 이전보다 훨씬 넓은 지역에서 출토된다.

서기 전 12세기경 商 나라가 周族(주족)에 의해 멸망된 후 상나라의 지배족이 고조선의 국경지대로 많이 이주해왔기 때문에 난하유역에서는 상과 서주의 청동기가 출토되기도 한다. 이것들은 상의 지배족들이 나라가 망한 후 고조선으로 망명해왔음을 알게 하는 것이다. 아마도 기자일족도 그러한 망명집단 가운데 하나였을 것이다. 황하 유역 청동기문화의 유입은 고조선의 청동기문화를 한층 더 풍요롭게 해주었다. 고조선의 청동기문화는 서기 전 4세기경에는 세형동검을 특징으로 하는 단계가 되는데 이 시기를 청동기시대 후기로 볼 수 있다. 이 시기는 철기문화가 보편화된 시기이므로 철기시대에 해당된다. 역사 시대구분에 있어서는 칼로 무 베듯이 되는 것은 아니다. 현재는 디지털 시대이지만 아날로그 사용자도 많은 이치와 같다고 생각하면 이해가 쉬울 것이다. 철기의 영향을 받지 않은 지역은 아마 돌을 도구로 쓰는 지역도 많았을 것이다.

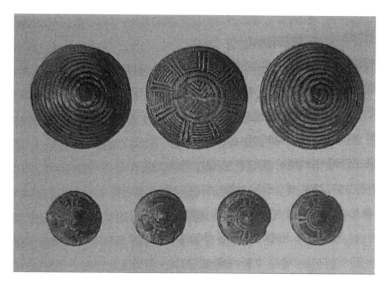

출처:《고대에도 한류가 있었다》임재해 외. 2007. 지식산업사. 영천 어
은동에서 출토된 청동 장식단추

세형동검은 무기로서의 실용성과 조형적 예술성이 잘 조화를
이룬 우수한 공예품이다. 비파형동검과 세형동검은 모두 질이
우수하고 형태가 독특하며 뛰어난 것으로서, 고조선 공예미술
의 고유한 성격을 뚜렷이 보여준다. 이러한 특징적이고 발달
된 청동기는 우수한 제조기술을 필요로 한다. "경상북도 영천
군 어은동에서는 말 모양과 범 모양의 조각품이 출토되었는
데, 그 형태가 날랜 짐승의 모습을 하고 있는데 매우 사실적이
다. 이러한 유물들은 고조선의 청동기 공예 기술이 매우 정교
하고 발달되어 있었음을 알게 해주는 것이다."(《새로운 한국사》윤

아무도 알려주지 않는 고조선 이야기

내현외2.2005.집문당.p96~97) 고조선 청동기문화 특징 가운데 하나는 중국의 음식 그릇이나 술잔 등의 용기에 비하여 청동거울과 청동방울, 청동 장신구 등이 많다는 점이다. 이러한 청동기들은 종교의식과 관계가 있는데, 고조선과 중국지역의 청동기의 차이는 종교의식의 차이를 말해주는 것이다. 중국의 종교의식은 신에게 음식과 술을 바치는 것이 주된 것이었다면 고조선의 의식은 청동방울 및 장신구 등을 사용하여 춤을 추고 노래 부르는 것이 주된 것이었음을 말해준다.

고조선 후기에 철기가 출현했다. 고조선 사람들은 서기전 8세기 무렵에 철기를 사용하기 시작했는데 제철과 제강기술도 상당히 높은 수준에 도달해 있었다. 청동기가 주로 무기나 의기로 사용되었다면 철기는 農器具 등의 생산도구로 이용되어 생산 증대에 크게 이바지했다. 철기의 사용으로 노동능률이 크게 증대됨에 따라 토지에 대한 관념도 바뀌었다. 땅을 많이 소유할수록 이익이 된다는 것을 앎으로서 통치자나 지배귀족들은 많은 토지를 소유하려고 노력하게 되었고, 이는 중앙집권의 통치 조직을 출현시켰다. 고조선이 붕괴한 후 열국시대(윤내현 교수에 따르면. 고구려, 신라, 백제, 부여 등)에 중앙집권의 통치조직이 출현했다. 서기 전 3세기 경의 유적에서는 철로 만든 장검, 창, 가지창 등 무기류와 괭이, 호미, 낫, 반달칼 들의 농구류 및 도끼, 자귀, 끌, 송곳 등의 공구류가 출토되어 당시에 매우 다양한 철기가 제조되었음을 알게 해 준다.

이 시기에 사용된 철기는 주조된 것이었다. 주철은 탄소 함유 량에 따라 특성이 달라지는데, 고조선인들은 이러한 철에 대 한 구체적인 지식을 가지고 있었다. 고조선 말기인 서기 전 2 세기경에는 제철기술이 한층 더 발달하여 강철을 생산하였다. 강철 제품은 주조품은 물론이고 단조품도 만들어졌다. 단조품 을 만들기 위해서는 철을 단련시키는 과정에서 철을 두드리는 것과 구부리는 것, 물을 사용하여 열처리를 하는 것 등의 기술 이 사용되었다. 제철기술이 급속하게 발전하고 일반에게 널리 사용된 것은 철기가 청동기에 비해 단단하여 농사짓는 도구로 적합했기 때문이었다. 그리고 철의 원료가 풍부했다. 이러한 철을 생산하고 가공하기 위해서는 좋은 제철로와 송풍 장치가 있어야 한다. 자강도 시중군 노남리 유적 위층에서는 서기 전 2세기 무렵의 제철로가 발견되었는데 쇳물을 받는 쇠탕 시설 까지 갖춘 것으로서 같은 시기의 서구 제철로보다 규모가 훨 씬 크고 잘 만들어진 것이었다.

"서구에서 선철을 널리 이용하기 시작한 것은 14세기 무렵부터

아무도 알려주지 않는 고조선 이야기

였으며 선철에서 강철을 얻는 방법도 이 시기부터였다. 그전에 사용했던 강철은 단조하여 얻은 것이었다. 우리 민족은 고조선시대부터 이미 연철과 선철을 제련했으며 발전된 방법으로 강철도 제련하여 사용했다. 고조선 사람들의 철에 대한 지식과 가공 기술이 매우 빠르고 수준이 높았음을 알게 해 준다. 그동안 출토된 유물을 보면 금속가공에 사용된 기술도 매우 발달해 있었다. 고조선에서 사용된 금속 가공 기술은 도금, 판금, 누금, 맞머리못(리베트), 땜질 등이 있었다."(《고조선, 우리역사의 탄생》 윤내현. 2016. 만권당. p218~220)

고조선 사람들은 천문에 대한 지식도 상당히 높았던 것으로 생각된다. 《후한서》<동이열전> <예전>에는 예 사람들은 새벽에 별자리의 움직임을 관찰하여 그해에 풍년이 들 것인지를 미리 알았다고 기록되어 있다. 이는 고조선은 천문은 물론이고, 기상·술수·토목·금속·건강의약에 관한 과학지식은 물론 그 응용기술에 있어서도 매우 높은 수준에 이르러 있었음을 알 수 있다. 고조선은 높은 과학기술은 물론이고 문화수준도 높았다. 나는 항상 생각하길 현대에 들어와 고난도 많았고 힘들었던 시기도 많았는데 어떻게 짧은 기간에 우리가 모든 분야에서 세계에서 10위권 안에 진입할 수 있었을까를 생각하곤 했는데 고조선 역사를 공부하다 보면서 그 의문점은 다소 풀렸다고 볼 수 있다.

일본제국주의가 조선을 침탈하면서 우리 땅에 들어와 처음 작업한 것이 고조선의 역사를 왜곡하고, 조작하고, 날조하는 것이었다. 왜 그랬겠는가? 우리 역사와 문화가 일본 놈들보다 월등하게 앞서 있다는 것을 알고는 역사를 축소하고, 보잘것없고, 미개하고, 야만의 민족으로 만들기 위해 혈안이 되었다. 원래 열등의식이 많은 놈들이 시기, 질투까지 심함을 우리 일상에서도 알 수 있지 않은가. 그들 정서에는 우리 민족에게, 특히 문화적인 면에서 지고 있다는 것이 저변에 깔려 있기 때문에 괜히 혐한을 조장하고 틈만 나면 침략하여 정복하려고 한다. 우리 주변에서도 보면 진짜 참 인물들은 대범하고 마음의 넓기가 태평양 같음을 알 수 있다. 백범 김구 선생은 미래에는 문화 강국이 세계를 지배한다고 했다. 현재 대한민국은 문화 콘텐츠가 풍부해서 세계 문화를 선도하고 있다.

주변을 보라!! 소인배, 고집이 세고 자기만 아는 극단적 이기주의자, 자기와 생각이 다르다고 반국가세력이라고 몰아붙이며 남을 괴롭히는 자, 거짓말과 위선으로 모든 일을 처리하려고 하는 비겁하고 비굴한 자, 돈에 과할 정도로 집착하여 천박하기 이를 데 없는 자, 신분을 세탁하여 남을 짓밟으려 하는 자 등은 대한민국을 갉아먹는 쥐새끼들이니 이 땅에서 영원히 추방하자. 그래서 깨끗한 사회 · 공정한 사회 · 상식이 통하는 사회 · 정의가 충만한 사회를 만들도록 하자. 참 민주주의가 살아있는 대한민국을 만들자. 우리의 노력이 하늘에 닿을 수 있을 때까지 투쟁하며 쉼 없이 나아가자.

(1) 고조선 사람들의 염원이 담긴 별자리

그 바위는 다듬은 것처럼 윗면이 반듯했고 여러 개의 구멍이 새겨져 있었다. 바위 아래에는 관 비슷한 시설도 있었다. 구멍은 '누가 새겼을까?' 민속학자들은 고인돌 구멍이 곡식을 넣거나 물을 뿌리면서 풍년을 기원하는 곳이라고 하여 '성혈' 또는 '알터 유적'이라고 부르고 있었다. 다른 바위는 네모반듯한 바위 위에 윗면이 약간 둥글고 납작한 돌이 얹혀 있었다. 옆에 있는 고인돌보다 구멍이 훨씬 크고 선명했다. 그 고인돌들은 근대 무속신앙이나 마을 신앙과는 관련이 없다는 것을 지역 주민들을 통해 알 수가 있었다.

1996년에 한겨레신문에 난 북한 관련 기사에서 북한에 있는 두 개의 고인돌 덮개돌에 새겨져 있는 구멍이 북극성 주변의 별자리로 밝혀졌다는 기사였다. 북한 학자들이 세차운동을 이용해 그 별자리가 새겨진 연대를 추정했더니 놀랍게도 서기전 3000년에서 2500년 사이에 새겨진 것이었다고 한다. 그 기사를 읽고 난 후 그 마을의 고인돌과 바위유적을 찾아보았다. 그 고인돌의 구멍 모습을 살펴보니 일정한 꼴을 이루면서 배열되어 있는 모습이 보였다.

고인돌에는 남쪽에 큰 구멍 두 개가 파여 있었고, 서북쪽에 작은 구멍들은 카시오페이아자리와 비슷한 W자 모양을 이루고 있었다. 그리고 그 앞쪽에 큰 구멍이 있었는데, 북극성일 수도 있겠다는 생각이 들었다. 위쪽 바위에 있는 바위 구멍들도 살펴보았는데 북쪽에는 세 개의 별이 새겨져 있었고, 동쪽으로는 작은 구멍 일곱 개가 무리 지어 있었다. 남쪽으로는 4개의 구멍이 큰 선으로 이어져 흘러내리는 모양이었다. 북쪽에 있는 세 개의 별은 삼태성이나 삼수, 심수인 것으로 보였고, 일곱 개의 별 무리는 좀생이별 같았다.

남쪽에 있는 별자리를 어떻게 봐야 하는지는 고민이다. 은하수인 것 같기도 하고 용 별자리가 있다면 그런 모습이 아닐까 생각이 들기도 했다. 그러한 생각은 이것을 새긴 사람들의 우주관과 신앙, 생활 습속이 어떤 것인지 다시 생각하게 만든다. 고인돌이 있는 마을은 적어도 2500년 역사를 가진 유서 깊은 마을인 것이다. 이를 증명할 수 있는 유물은 여러 개가 있다. 마을 앞쪽에서 돌화살촉이 발견되었다는 기록도 있고, 지금이라도 제대로 발굴 작업을 한다면 생업과 무덤, 제사 유적이 통합된 마을 유적이 확인될 가능성이 있다고 생각한다.

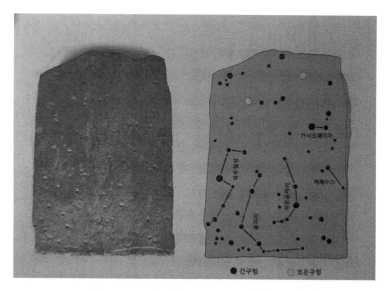

출처:《별자리,인류의 이야기 주머니》 아득이 별자리판 P242

청주시 상당구 문의면 아득이 마을 고인돌 옆에서 발견되었다
는 별자리 판이다. 박창범 교수는 그 별자리들을 큰곰자리와
작은곰자리, 카시오페이아자리, 용자리 등으로 동정하는데, 함
경남도에 있는 고인돌 별자리 새김과 비슷하다고 한다. 아득
이 마을은 지금은 대청호에 잠겨 볼 수 없지만 수몰되기 전에
는 고인돌 무덤들이 떼를 이루고 있었다고 한다. 이를 볼 때
이 일대는 고인돌 문화의 중심지였을 가능성이 높다. 고인돌
과 관련해서 남북한과 중국의 연구를 살펴보면 공통적으로 나
타나는 유물이 있다. 비파형동검, 팽이형 토기, 미송리형 토기(북

아무도 알려주지 않는 고조선 이야기

한에서는 조롱박형 토기) 등과 함께 고조선의 청동기시대 대표 유물을 볼 수가 있다.

북한의 고인돌 관련 유적을 4단계로 나누어 보면 1단계에서는 팽이형 토기가 주로 나오고, 2단계에서는 미송리형 토기와 돌검, 그리고 팽이형 토기가 동반된다고 한다. 3단계에서는 북방리형 토기와 비파형 동모, 청동방울이 나오고, 4단계에서는 점토대토기, 세형동검, 흑도마연긴목항아리가 함께 나온다. 남한이나 요동. 요서에서도 지역적 차이가 있기는 하지만 이러한 문화 요소들을 공유하고 있으니 모두 같은 문명권이라고 볼 수 있다. 물론 고조선이 그 모든 곳을 중앙집권적으로 지배하지는 못했다. 고조선은 단군왕검이 지배하는 직할지와 그 문화의 영향을 직접 받던 일종의 거수국(제후국) 그리고 공물을 바치고 필요할 때는 병력도 지원하는 대가로 청동의기들을 사여받은 부용국(강대국에 종속되어 그 지배를 받는 약소국)들로 이루어진 복합적인 구조였을 것이다.

우리가 청동기시대라는 이름으로 파편적으로 이해해왔던 유물들이 마치 구슬을 꿰듯 고조선 문명이라는 이름 아래 통합되었다. 결국 이 마을은 고조선의 옛 영토였다. 단군의 직할지는 아니더라도 고조선 문명의 영향권 아래에 있었던 거수국의 영토였을 것이다. ≪삼국유사≫에 보면 진한 사람들이 조선 유민(朝鮮遺民)이라고 말한 대목이 나온다. 진한이 고조선의 거수국이었기 때문에 유민(流民)이 아니라 유민(遺民)이라고 한 것이다. 당시 진한은 마한 왕의 지배를 받았다. 따라서 삼한 전체가 고조선의 영토였던 것이다. 고인돌이 있던 마을도 옛날에는 마한의 땅이었으니 당연히 고조선 땅이다.

마을의 고인돌과 바위 위에 새겨진 별자리들은 고조선 사람들의 하늘에 대한 인식과 신앙, 염원을 반영하는 유물인 것이다. 그 염원의 내용은 장마와 가뭄, 태풍 등 마을공동체의 존속을 위협하는 자연현상을 조절하는 것이다. 당시 사람들의 세계관에 따르면 자연재앙은 신을 노엽게 할 때 생기는 것이다. 그들은 비바람을 순조롭게 하기 위해 솟대를 세우고 고인돌 위에 별자리를 새겼다. 실제로 묘성이나 삼성, 은하수 등은 농작물이나 사람의 재생산을 기원하는 강력한 상징이다. 얼마 전까지도 마을 신앙의 대상이었던 솟대, 장승, 탑, 산신 등은 그 기원을 고조선에 두고 있다.(≪별자리, 인류의 이야기 주머니≫ 문재현.2017.살림터)

단군신화에 나오는 이야기들은 곰과 호랑이가 사람으로 변하는 내용을 빼면 마을 사람들이 살아가는 모습이나 의례와 크게 다르지 않음을 알 수가 있다. 그래서 지금부터는 단군신화라 하지 않고 단군 사화(壇君史話)라고 하겠다. 단군은 ≪三國遺事≫ <古朝鮮>條에는 壇君이라 표기되어 있고 ≪帝王韻紀≫에는 檀君이라 표기되어 있다. 이것은 단군이 원래 漢字의 명칭이 아니라 고대 한민족 고유 언어의 명칭이었는데 그것이 한자로 표기되는 과정에서 단자가 각각 다르게 표기되었을 것으로 생각된다. 조선시대 학자들은 ≪제왕운기≫의 표기를 따르고 있는데, 그 이유는 아마 ≪제왕운기≫의 저자인 이승휴는 유학자였고 ≪삼국유사≫의 저자인 일연은 불교 승려였기 때문이었을 것이다.(≪고조선연구≫ 윤내현) ≪삼국유사≫가 ≪제왕운기≫보다는 오래된 역사서이므로 단군을 한자로 표기할 경우는 ≪삼국유사≫의 표기가 맞을 것 같다. 그래서 나는 ≪삼국유사≫의 표기에 따르기로 한다.

단군사화를 관련된 문헌적 근거나 영웅주의적 관점이 아닌 민중사, 생활사라는 측면에서 읽으면 단군사화에 나오는 문화 요소들은 고조선의 생활사일 뿐만 아니라 민중의 생활사, 심지어는 현대 생활사라고 해도 좋을 정도였다. 신단수는 마을의 동수나무(마을을 지키는나무)를 닮았다. 하늘과 소통할 수 있는 신단수를 중심으로 신시(환웅 천황이 열었다.)를 열었던 단군과 마을 신목을 중심으로 공동체를 이루고 있는 우리네 마을 사이에서 문화적 거리를 발견할 수 없다. 삼칠일이나 백일과 관련된 시간 인식 역시 마찬가지이다. 웅녀는 동굴 속에서 3X7=21일을 지난 끝에 인간이 되었다. 따라서 우리 문화에서는 삼칠일은 어떤 존재가 새로운 존재로 변하는 시간으로 볼 수 있다. 지금은 모르겠는데 예전에는 아기를 나면 삼칠일 동안은 가족만 볼 수가 있고 외부인은 삼칠일이 지나야 볼 수가 있었다. 웅녀가 동굴 속에서 21을 지냈던 것처럼 아기도 21일을 집 안에서 동굴 생활을 했던 것이다.

환웅과 단군은 단지 나라의 시조 또는 건국자일뿐 아니라 문화 영웅이기 때문이다. 단군사화는 고조선 건국의 신성화 및 정당성 확보에 그치는 것이 아니라 문화의 기원을 설명하는 이야기였던 것이다. 한국 음식 문화에서 마늘은 빼놓을 수 없는 음식이다. 특히 마늘은 우리 역사 속에서 가장 오래된 향신료이다. 지금도 마늘을 넣지 않는 음식은 거의 없다. 우리는 마늘을 날 것으로 먹기도 한다. 오랜 전통을 가진 음식 문화로서 한국인의 정체성을 구성하는 요인 가운데 하나라고 보아도 좋을 것이다. 임재해 교수는 단군사화는 우리가 왜 쑥과 마늘을 먹어야 하는지를 설명하는 음식 기원 신화이기도 한 것이라 말한다.

그동안 학교 교육에서는 고조선의 역사를 자세하게 가르치지 못했다. 고조선에 대한 연구가 부족했기 때문이다. 시중에는 고조선(또는 단군 역사)에 관한 책이 여러 종류 보인다. 그러나 그 가운데는 학술적 근거가 전혀 없는 것도 있다. 대부분이다. 이런 현실은 독자들을 혼란스럽게 하고 있다. 독자들은 고조선의 실상이 지금까지 알고 있던 것과 너무 거리가 있다고 느낄지도 모르겠다. 영토가 넓었던 것이라든지 경제 수준이나 문화 수준이 높았던 것 등은 독자들로 하여금 고조선이 과연 이랬을까, 하는 의문을 갖게 할 것이다. 그러나 <한국 고대사 신론-윤내현.2014.만권당> <고조선,우리 역사의 탄생-윤내현.2016.만권당> <별자리,인류의 이야기 주머니-문재현 문한뫼.2017.살림터> 책들은 철저한 학술적인 연구를 바탕으로 하고 있다. 우리나라와 중국의 옛 문헌이나 고고학 자료를 토대로 연구한 결과이다. 읽고 나면 뿌듯한 마음을 얻게 될뿐더러 일제 식민사학자들의 왜곡된 역사와 교활한 속셈도 알 수 있다.

제 5 장
고조선의 외교관계

1. 고조선의 대외관계-1

고조선, 북방지역과 倭 열도와의 관계

그동안은 국사 교과서나 개설서들은 우리 민족의 국내 활동에 치중한 면이 없지 않았다. 그래서 상대적으로 대외활동은 소홀히 다룬 면이 있다. 그 결과 우리는 옛날부터 소극적인 삶을 영위한 민족이었던 것처럼 인식되었다. 일제는 식민지배 형태 중 가장 가혹한 식민정책을 실행했다는 역사적 평가를 받는다. "일제 어용학자들은 한국사 연구를 '한국침략'이라는 그들의 정책에 맞춰 진행시켰다. 따라서 식민주의사관은 일제가 한국 침략과 지배를 한국의 역사로 정당화·합리화하기 위해 고안해낸 역사관이다"라는 이만열의 분석은 정확하다. 침략과 지배를 위해 고안한 역사가 제대로 된 역사일 수는 없다. 이는 학문이 아니고 정치이고, 이론이 아니라 폭력이다.

일제는 한국사를 말살시키기 위해 단군조선의 역사부터 부정하고, 고대로부터 한국은 타민족의 지배를 받았다고 날조하는데 주력했다. 일제의 지배를 합리화하고 한민족에게 열패감과 노예의식을 심으려는 의도였다. 이런 상황일진대 고조선의 대외관계 같은 진취적이고 능동적으로 교류하며 그 지역을 지배했다는 내용을 기록했겠는가. 고조선사를 부정하는데 방금과 같은 말은 하나 마나 한 이야기겠다.

황국사관은 천황 이데올로기라는 신성한 천황 아래 수직적인 상하질서를 세워 민중을 천황 지배에 복종하는 노예로 전락시킨다. 그 중간 자리는 천황을 빙자한 침략주의자들이 차지한다. 그동안은 사실 일본의 정치 지도자들만을 비판했었는데 현재는 일본 국민들마저 비판받아 마땅하다는 생각이다. 그들도 공범이기 때문이다. 일본 역사를 보면 아래로부터의 혁명, 개혁은 없었다. 그들의 문화는 12세기 이래 무사정권이 들어서서부터는 눈치만을 보며 앞에서 이야기하면 가혹한 형벌이 따르니 뒷담화를 잘하고 겉내와 속내가 다른 문화가 형성되었다.

인간은 기억으로 산다. 기억은 정체성의 핵심이다. 자신의 정체성을 잃지 않는다는 것은 중요하다. 기억을 상실한 사람은 자신의 정체성을 그대로 잃는다. 기억상실증에 걸린 사람의 정체성은 마음대로 조작하고 지배할 수 있다. 그러므로 역사는 곧 기억이다. 일제가 한국을 영구히 식민지로 지배하기 위해 역사를 치밀하게 왜곡한 이유다. 사람은 과거의 기억으로 현재

아무도 알려주지 않는 고조선 이야기

를 살아가지 과거에서 현재를 살지 않는다. 모든 역사는 현재의 역사다. 이만열은 식민사관이 단지 역사를 보는 관점일 뿐아니라 우리의 일상적인 생각과 행동을 규정한다는 점을 특히 경계했다. 김용섭은 식민사관에 대해 "그것은 정당한 한국사가 아니었다. 그들이 제공한 한국사는 황국사관이 반영된, 일본사에 부속된 왜곡된 한국사였으며, 일본의 한국침략을 합리화한 한국사였다"라고 정리했다. (≪한국사가 죽어야 나라가 산다≫이주한. 2013. 역사의 아침. PP69~70.)

일본 제국주의가 창조한 천황 이데올로기는 아직도 일본을 지배하고 있다. 한 번도 그들의 역사관은 변한 적이 없다. 일본은 엄연한 천황제 국가다. 독도문제, 자학사관 극복을 위한 교과서 개정, 일본군 성노예문제, 강제징용문제가 반복적으로 나올 수밖에 없는 배경이다. 경제대국인 일본이 인류사회의 보편적 이상과 양립하지 못하는 한계도 여기에서 나오는 것이라 볼 수 있다. 후쿠시마 핵 오염수 방류도 마찬가지이다. 인류사회와 더불어 살 수 있는 공감 능력이 현저하게 떨어지기 때문에 일어난 것이다. 그들은 지구상에서 떠나는 연습을 착실히 하고 있는 중이라고 보면 된다.

흔히들 우리 민족은 이민족의 침략을 방어만 한 피동적인 자세를 취한 것처럼 말하는 사람들이 있지만 결코 그렇지 않다. 고구려는 東漢 과의 전쟁에서 자주 승리를 했으며, 큰 전쟁에서는 대개 고구려의 승리였다. 이는 ≪後漢書≫<東夷列傳>과 ≪三國史記≫<高句麗本紀>에 잘 기록되어 있다. 후대에 을지문덕 장군이 隋(수) 煬帝(양제)에게 승리한 전쟁은 수나라를 멸망으로 몰아넣기도 했다. 고조선의 후예 고구려는 지금의 요서 지역까지 포함한 거대 영토를 가진 동북아시아의 강국으로서 수나라는 고구려를 그대로 두고는 자신들의 나라가 안전할 수 없다고 생각했다. 그 당시 수 나라는 내부적으로 대운하 건설 등의 노역에 백성들, 특히 장정들이 자주 동원되어 농촌 경제는 피폐해 있었고, 이에 대한 불만이 고조된 가운데 고구려와의 전쟁에서도 참패를 당하자 수나라에서는 민중들의 봉기가 일어나게 되었다. 그 결과 수나라는 멸망했던 것이다.

아무도 알려주지 않는 고조선 이야기

출처:《우리 고대사 상상에서 현실로》윤내현.2003.지식산업사. 만주의
초기 청동기 문화인 하가점하층문화의 채식 질그릇으로 그 모양과 채색
이 매우 아름답다. 고조선 초기에 만주에서는 이렇게 아름다운 질그릇이
생산되었다. 우리 민족이 가지고 있는 능력의 한 면을 보여주는 것이다.

백제는 해양으로 진출하였다. 백제는 바다를 건너 중국의 동부
해안 지역을 차지하고 있었다. 중국아 삼국시대(魏 위 · 蜀 촉
· 吳 오)인 서기 246년에 위나라의 유주자사 관구검은 고구려
를 침략하여 수도 丸都城(환도성)에 쳐들어왔다. 이때 백제는
유주가 비어있는 틈을 타 진충에게 그곳을 치도록 하여 지금
의 북경과 천진지역에 백제군을 설치하였다. 그 뒤 백제는 세
력을 넓혀 남쪽으로 산동성, 강소성, 절강성지역까지 지배했
다. 백제의 중국 동부해안 지역 지배는 수나라가 중국을 통일

하기 직전까지 3백40년이 넘도록 계속되었다. 이런 사정으로 보아 백제는 강력한 해양국가였음을 알게 해준다. 수나라가 중국을 통일하게 되면서 백제는 중국 동부해안 지역에서 밀려나게 되었다.

신라의 장보고 대사는 지금의 완도 출신으로 고향인 완도에 청해진을 건설하였다. 장보고는 이를 거점으로 일본열도의 남부와 중국의 동부해안 지역을 장악하고 우리나라를 중심으로 일본열도와 중국을 잇는 해상왕국을 건설하였다. 장보고는 이 지역을 지배는 물론이고 국제무역 통로로 활용하였다. 이를 이용하여 아랍 지역과도 무역을 하였다. 국제적인 종합무역 활동을 벌였던 것이다. 우리 민족의 倭열도 진출도 매우 이른 시기부터 시작되었다. 일본의 신석기 문화인 죠몽 문화에서는 우리 신석기가 많이 발견되어 죠몽시대에 이미 우리 문화가 倭열도에 전달되었음을 알게 한다. 특히 서기 전 3세기 무렵부터 서기 후 3세기 무렵까지 존속되었던 야요이 문화는 우리 청동기 문화와 철기 문화, 벼농사 등이 전달되어 형성된 것이다. 오랜 세월이 흘렀지만 역사기록에 남아 있어 자존심에 상처가 난 것은 알겠지만 그 정도가 심하면 몰락의 길을 갈 것임을 알아야 한다. 인생은 돌고 돈다. 역사도 돌고 도는 법이다. 앞으로는 韓民族의 세상이 온다.

아무도 알려주지 않는 고조선 이야기

서기 전 300년부터 서기 후 300년까지는 우리 역사에서는 고조선 말기부터 고조선이 붕괴되어 형성된 열국시대까지로서 정치상황이 혼란한 시기였다. 이 시기에 정치적 혼란을 피해 우리나라에서 왜 열도에 진출했던 것으로 추측된다. 초기에는 왜 열도의 남부지역인 규수였으며 후기로 오면서 그 범위도 확대되어 북쪽으로 확대되었다. 야요이 문화인들이 우리나라 사람들과 동일한 유전인자를 가지고 있었음을 최근 일본의 연구팀은 밝혀냈다. 왜 열도에는 당시까지 국가가 출현하지 않았다. 그러나 우리나라에서는 서기 전 2333년에 이미 고조선이 건국되었으므로 우리나라에서 왜열도로 진출한 사람들은 오랜 기간 국가라는 조직에서 생활을 했기 때문에 이미 국가에 대한 지식을 가지고 있었다. 그래서 왜열도 여기저기에 소국들이 출현하게 되었다. 이들은 모국의 명칭을 그대로 사용하여 자신들의 나라를 고구려. 백제. 신라. 임라(가야)라 하였다. 현대에도 미국으로 이주한 영국인,네덜란드인 등이 정착하면서 자기 마을의 이름을 따서 뉴잉글랜드, 혹은 뉴 암스테르담 등이 그것이다.

서기 전 7세기 무렵에 일본이라는 국호를 쓰는 국가가 출현하게 된다. 이는 왜 열도에 정치세력이 등장하고 국가가 출현하게 된 것은 우리민족이 이주한 결과였다고 말할 수 있다. 우리 민족은 서기 전 4000년 무렵에 이미 고을나라 단계에 들어섰고 서기전 2300년 무렵에는 고조선이 건국되었는데 일본 열도에서는 고조선 말기인 서기전 300년 이후에야 고을나라 단계에 들어섰던 것이다. 이런 문화적 차이는 그들로 하여금 열등감과 자존심을 건드리는 일이 되어 일제 강점기 시절 고조선을 부정하고 왜곡 축소하여 미개, 야만 등의 막말을 쏟아가며 보잘것없는 나라를 만들기에 혈안이 되었던 것이다. 이런 사정을 잘 아는지라 일본의 지식인들이 망언을 쏟아부을 때마다 참 불쌍하고 가련하다는 애처로운 마음이 더 앞섰다.

일본인들은 발 딛고 있는 땅마저 불안하니 공중에서 떠 있는 생활을 하는 것이나 별반 다를 게 없다. 그놈들 생활 자체가 악에 받친 형국이다. 뿌리가 튼튼하지 못하면 그 뿌리를 튼튼하게 하려고 노력해야지 뿌리를 부정하며 남의 열매나 과실만을 탐한다는 것은 결국 비바람이 치면 그 뿌리가 뽑힌다는 것을 모른다. 이제는 그 물에 휩쓸려 갈 날도 얼마 남지 않았다. 더욱이 기후변화로 일본은 위태위태하다. 요란 떨지 말고 조용히 순리대로 살아가길 바란다.

아무도 알려주지 않는 고조선 이야기

2. 고조선의 대외관계-2

고조선이 한반도와 만주를 차지하고 있으며 대외관계를 가졌던 지역은 중국지역, 몽고, 시베리아, 왜열도 지역으로 구분할수가 있다. 이 가운데 일찍부터 정치와 경제면에서 많은 교류를 가졌던 곳은 중국 지역이었고, 그 나머지 지역은 이보다 빈번하지는 않았다. 고조선이 한반도와 만주에서 활동하고 있을당시 중국은 堯(요), 舜(순) 시대로부터 夏(하)·商(상)·西周(서주)·春秋(춘추)·戰國(전국)·秦帝國(진제국)을 거쳐 西漢(서한) 초까지 이르게 된다. 중국은 왕조가 200~300년 정도 지나면 왕조 교체가 이루어졌는데 고조선은 약 2000년을 당당하게하나의 국가로 있어왔다. 물론 장단점이 있다고 말하는 역사학자도 있다. 고조선과 중국은 동아시아 지역에서 국가사회를 이룬 유일한 곳이었기 때문에 두 지역의 문명은 서로가 교류하면서 자극과 영향을 받았으며, 두 지역의 정치·경제·사회·문화 등의 발전에 서로 기여했음은 당연하다고 말할 수 있다.

고조선은 일찍부터 중국지역에 국가적 경사가 있을 때 고조선의 제후나 사신이 축하의 사절로 중국지역을 방문하였다. 고조선의 국가 행사에도 중국지역의 사신이 참석하였을 것으로 보이나 안타깝게도 한국에는 당시의 문헌이 남아 있지 않아서 확인할 길은 없다. ≪竹書紀年, 죽서기년≫에 의하면 서기 전 2209년(帝舜, 제순 25년) 고조선의 거수국이었던 肅愼(숙신)의 사신이 예물로 활과 화살을 가지고 중국을 방문하였다고 기록되어 있다. 서기 전 12세기경에는 서주 무왕이 商 나라를 멸망시키고 서주를 건국했을 때에도 숙신의 축하 사신이 서주를 방문하였다고 한다. ≪逸周書, 일 주서≫<王會> 편에는 고조선의 거수국들 가운데 중국과 가까운 곳에 위치해 있었던 숙신 · 濊(예) · 고구려 · 孤竹(고죽) 등의 사신이 서주의 成周大會(성주대회)에도 참가하였던 것으로 기록되어 있다. 성주대회는 서주의 위력을 만방에 알리는 행사였던 것이다.

≪詩經, 시경≫<韓奕, 한혁>편에는 서주 말기 宣王(선왕) 때에는 고조선의 단군이 서주 왕실을 방문하여 융숭한 대접을 받았는데 이때에 단군은 서주 선왕의 생질녀를 아내로 맞았다고 기록되어 있다. 서주 왕실이 이렇게 환대한 것은 당시 국제사회에서 고조선의 위치가 만만치 않았기 때문이었을 것이다. 예나 지금이나 국가의 국력이 강하면 자연스럽게 대접을 받는 것은 당연한 것이다. 그동안 한국은 세계인들로부터 부러움을 한

몸에 받았는데 2023년, 한국은 세계의 호구가 되어 조롱거리로 전락해버렸다. 안타까운 일이다. 유권자 개인의 사정이 있었겠지만 당내 경선, 대선 경선 때 후보자의 자질을 몰라보고 찍었다는 것은 우리의 도덕성과 윤리성이 땅바닥에 떨어졌기 때문에 이런 일이 발생했다고 본다. 각성하고 반성할 일이다. 도덕과 윤리가 기반되지 않은 민주주의는 없고 정의로운 사회는 이룰 수가 없음은 당연한 것이다. '자고 일어나니 나라가 망하고 있다'라는 조소가 있고 비아냥과 비웃음거리가 된 오늘날의 한국의 현실... 참으로 애통한 일이다.

≪史記≫<貨殖列傳, 화식열전>에는 고조선과 중국지역의 교역에 관해서 기록하고 있다. 당시에 고조선이 중국과의 교역에서 흑자 무역을 하고 있는 것으로 보이는데, 고조선 지역에서 燕(연) 나라의 화폐인 명도전이 무더기로 출토되는 것에서 알 수 있다. 그러나 고조선과 중국 지역의 관계가 언제나 화평한 것은 아니었다. ≪管子≫와 ≪史記≫·≪說苑, 설원≫ 등에는 齊 나라 환공이 고조선의 거수국이었던 孤竹(고죽)을 침략했던 것으로 기록되어 있다. 이 사건으로 고조선과 중국의 관계가 악화되었다. 戰國時代인 서기 전 3세기 초에 연나라는 장수 秦開(진개)를 시켜 고조선의 거수국인 기자조선을 침략하

였다. ≪魏略, 위략≫에는 이 條燕戰爭(조연전쟁)에 대해서 비교적 자세하게 기록되어 있다. 이 전쟁의 초기는 갑자기 침략을 받은 고조선이 2천여 리의 서부 땅을 빼앗겼으나 바로 연나라의 군사를 격퇴하고 오히려 연나라의 동부 영토를 빼앗아 침략에 대한 응징을 한 것으로 나온다.

아무도 알려주지 않는 고조선 이야기

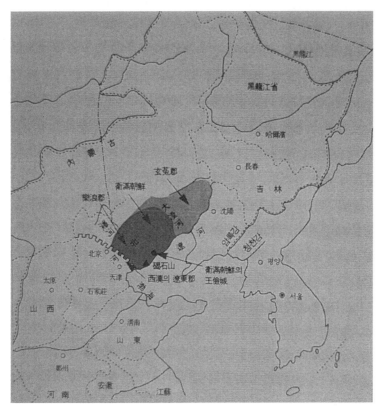

출처:《우리 고대사 상상에서 현실로》윤내현. 2003. 지식산업사. 위만
조선과 한사군의 위치도. 위만조선과 한사군은 지금의 요서 지역에 있었
다. 위만조선은 기자조선의 정권을 빼앗아 건국한 뒤 영토를 동쪽으로 넓
혔으므로 기자국은 위만조선의 서부에 있었다. 이들이 있었던 지금의 요
서 지역은 본래 고조선의 서부 변경이었다. 그러므로 이들은 고조선과 동
서로 대치하고 있었던 것이다.

西漢帝國 初에 이르면 고조선의 서부 변경에서 箕子朝鮮의 정

권을 빼앗은 衛滿에 의하여 衛滿朝鮮이 건국되었다. 위만은 중

국에서 고조선으로 도피해온 중국인이었다. 그래서 위만은 서한의 外臣(외신)이 되었다. 고조선은 위만이 영토를 확장하는 과정에서 위만조선과 전쟁을 하게 되었는데 이것은 중국과의 직접적인 전쟁은 아니었지만 위만이 서한의 외신이었으므로 중국과의 간접 전쟁과 같은 성격을 띠었다. 서한이 위만을 이용하여 고조선을 견제한 것은 고조선의 강한 국력을 경계했기 때문으로 보인다. ≪사기≫<조선열전>에 서한은 건국 초에 고조선과의 국경이 너무 멀어 지키기 어려우므로 그것(국경)을 뒤로 물렸다고 하였다. 이것은 당시에 고조선의 국력이 서한에서 경계할 정도로 강했음을 알게 해준다. 고조선이 漢 제국을 상대로 전혀 밀리지 않고 대등한 국력을 바탕으로 전쟁을 치르며 이를 역사의 기록으로 남겼으니 현재의 신중국이 동북공정을 통해 고조선은 물론이고 고구려의 역사마저 자기들 역사라고 우기는 데에는 다 이유가 있는 것이다. 덩치만 큰 소인배인 것이다.

고조선의 영토인 한반도와 만주에는 산악이 많고 북부 변경은 유목 지역이 포함되어 있다. 고조선의 북부 변경은 내몽고, 몽고, 시베리아, 중앙아시아 등지로 연결되는 유목 지역이므로 유목민을 따라 고조선 문화가 쉽게 그 지역에 전달되었고, 반

아무도 알려주지 않는 고조선 이야기

대로 그 지역문화가 고조선에 전달되기도 하였다. 청동기 문양 가운데 스키토-시베리안 계통으로 일컬어지는 동물문양이 공통으로 보이는 점, 북방지역에 널리 퍼져있는 곰 숭배 신앙이 단군 사화에 나온다는 것은 고조선과 북방지역의 문화적 접촉이 있음을 알게 해준다.

그런데 종래에는 이러한 문화의 공통성은 북방의 문화가 고조선에 유입되었기 때문이라고 생각하는 학자들이 있었으나, 근래에는 발굴된 유물로 고조선 문화의 연대가 빨랐음이 확인됨에 따라 그러한 생각을 수정할 필요가 있게 되었다. 秦 제국 시대에 이르면 고조선의 선인사상이 중국에 전해졌던 것으로 보인다. 진시황이 서불을 한반도에 보내어 선인을 만나도록 했음을 앞에서 말한 바 있다. 이로 보아 고조선 종교사상의 선인사상이 중국에 전파되어 그 명칭이 神仙思想으로 바뀌어 중국 道敎의 핵심 사상 가운데 하나가 되었음을 알 수 있다. 전국시대와 진제국시대는 고조선 말기에 해당되므로 이런 사상이 전파된 것은 고조선 말기다.

고조선 말기에 단군사화가 중국에 전파되어 중국 사상 체계의 일부를 형성했음을 알게 하는 자료도 보인다. "산동성에는 東

漢 시대에 만들어진 武氏祠石室(무씨사석실)의 畵像石(화상석)이 있다. 이 화상석에 조각된 그림의 내용에는 중국 고대사상의 요소도 들어있지만 적어도 80~90%는 단군사화의 내용과 일치한다. 단군사화의 내용은 우리 민족의 사상이다. 그런데 무씨사석실이 만들어진 시기는 동한시대로 고조선이 붕괴된 후 300년쯤 된다. 이 그림이 중국에 나타난 것은 단군사화가 형성된 후 적어도 2500년 이상의 세월이 지난 후였던 것이다. 무씨사석실 화상석의 그림은 우리의 단군사화가 중국에 전달되어 중국 전통사상의 일부와 결합되었음을 말해준다." ≪고조선, 우리역사의 탄생≫ 윤내현.지식산업사.2016.

고조선과 중국은 사상뿐만 아니라 언어와 문자도 교류했다. 이미 말한 바와 같이 서기전 1100년 무렵에 기자가 서주에서 고조선으로 망명했는데 그들은 한자를 사용했을 것이다. ≪사기≫<조선열전>에는 서한이 위만조선을 치게 된 이유를 고조선의 거수국인 진국이 서한의 황제에게 글을 보내어 방문하고자 하나 위만조선이 이를 방해했기 때문인 것으로 기록되어 있다. 추측건대 이것은 진국에서 서한에 보낸 글은 한문이었을 것이다. 이는 진국이 한문을 알고 있었다는 것을 말하고 있다. 고조선시대에 한문이 사용되었음은 고고학 자료로도 증명되

아무도 알려주지 않는 고조선 이야기

었다. 요령성 여대시에 위치한 서기전 5세기 무렵의 윤가촌 유적에서는 한문이 새겨진 옹관이 출토되었다. 이런 사실들은 고조선과 중국 사이에 깊은 문화교류가 이루어졌음을 말한다.

고조선은 작은 국가가 아니었다. 그러나 해방 후부터 1980년대 초까지 40년을 지배한 이병도의 학설은 고조선이 줄곧 한반도 내부에 있었다는 대동강 중심설이다. 이 이론은 고조선은 줄곧 작은 부락으로 있다가 서기전 2세기 무렵 국가 비슷한 위만조선으로 발전하였으나 곧바로 한나라에게 멸망되었다는 내용이다. 그 자리에는 한사군이 설치되어 특히 평양에 위치해 있던 낙랑군은 그 후 400년간 지속되었다고 주장한다. 이런 터무니없는 주장은 교과서에 실려 시험문제 단골로 나오니 학생들은 잘못된 역사를 달달 외우는 것이었다. 나 역시 고교 시절 한사군의 위치부터 지명을 외웠다. 아마 학생 시절 이후 공부를 안한 사람들은 그냥 그대로 주입되어 고조선이 대국이었으며 그 주변을 지배한 강한 민족이었던 사항을 모르고 작은 소국으로 알고 있으니 민족의 자부심은 가질 수 없었을 것이다. 일본놈들의 노림수가 그것이다.

1980년대 주류 고대사학계 위기 이후 노태돈은 이병도의 이론을 수정하기에 이른다. 고조선은 평양에만 있었던 게 아니고 처음에는 만주에 있었다. 그 시기는 길어도 대략 서기전 10세기부터인데 국가라기보다는 조그만 부락 수준이었다. 이들의 세력이 한때 커졌을 때는 한나라와 맞서기도 했지만 결국은 중국에 밀려 한반도 서북부 평양지역으로 이동했다. 수정한다고 했지만 이병도의 이론과 별반 차이가 없다. 왜냐하면 주류 고대사학계의 대부인 이병도의 이론을 대폭 수정하여 바로 잡는다는 것은 그 바닥에서는 사형이다. 명령문이나 선언문 같은 것이어서 주류 고대사학계의 중심적인 학설이 된다. 이것은 일본놈들의 식민사학을 계승하는 것이라고 볼 수 있다.

송호정은 노태돈의 지도를 받아 중국 고고학 자료를 이용하여 고조선을 한반도에 제한시켜 소국은 물론이고 고조선의 가치를 없애버리는 행동은 이병도와 하등 다를 게 없었다. 극우파인 송호정은 주류 고대사학계에서 핵심 인물이자 동북아역사재단의 촉망받는 학자가 되었다. 여기에 언급되지 않은 주류 고대사학계의 학자들은 서영수,노태돈의 이동설과 송호정, 이병도의 대동강중심설 사이 어딘가에 있을 것이다. 한국 고대사가 어긋나 있으니 근현대사도 걸레처럼 너덜거리는 것이다. 학자들이 정치판이나 기웃거리고 돈에 이끌려 다니니 학자의 양

심은 어디로 갔나... 학자라고 하지 말기 바란다. 배우는 사람
이 아니고 사람 등쳐먹는 사기꾼이라고 말할 수 있겠다.

3. 기자조선, 위만조선, 한사군의 존재

기자조선과 위만조선, 한사군의 위치를 밝히고 이들이 고조선과 어떠한 관계에 있었는지를 확인할 필요가 있다. 고조선과 기자조선 · 위만조선 · 한사군의 관계에 대한 그간의 통설은 이들이 수직적인 계승 관계있었다고 보아 왔다. 즉 고조선→ 기자조선→ 위만조선→ 한사군의 순서대로 역사가 전개되었다는 것이다. 우리나라 역사 체계에는 기자조선에 대한 직접 언급을 하고 있지는 않지만 기자의 후손인 準王(준왕)을 고조선의 마지막 왕으로 서술하고 위만이 그로부터 정권을 빼앗아 위만조선을 건국했다고 기술하고 있으므로 실제는 기자조선을 인정한 것이 된다. 지난날 통용된 것을 아무런 의심 없이 그대로 답습해 왔던 것이다. 이러한 상황에서 일본인들의 대동강 유역에서 중국의 유물을 발굴하고, 그것을 근거로 하여 그곳을 한사군의 낙랑군 지역이라고 발표하자 그것을 의심하지 않고 받아들였다.

고조선 말기에 중국과 국경지대인 난하유역에서는 몇 차례의 정변이 있었다. 그것은 중국으로부터 망명해 온 기자일족에 의

한 망명정권의 수립, 기자국의 정권을 탈취한 위만의 건국, 위만조선의 멸망과 한사군의 설치 등이다 (≪고조선연구≫<위만조선,한사군,창해군>참조) 고조선 중기 이후 고조선의 서부 변경인 난하 유역, 즉 지금의 랴오시(遼西) 지역에는 중국으로부터 망명한 사람들이 날로 증가하고 있었다. 고조선이 중국 지역보다 평화롭고 살기 좋은 곳이었기 때문이었다. 고조선 기간에 중국에서는 여러 차례 왕조 교체가 있었다. 왕조 교체가 있을 때마다 큰 전쟁이 있었고, 춘추전국시대에는 중국 전 지역이 전쟁의 소용돌이 속에 있었다. 그뿐만이 아니라 秦 제국의 혹독한 통치는 陳勝(진승)과 吳廣(오광)이 주도한 봉기를 유발했고, 西漢의 건국 과정에서는 劉邦(유방)과 項羽(항우) 사이에 5년간에 걸친 전쟁이 있었다.

중국이 이러한 소용돌이 속에 있을 때 한반도와 만주 지역에는 고조선이라는 하나의 왕조가 계속되었다. 이는 고조선이 중국보다는 살기 좋은 곳이었음을 알게 해준다. 그러했기 때문에 중국인들이 계속해서 전란과 생활고를 피하여 고조선으로 이주해 왔던 것이다. 전쟁은 이렇게 무고한 백성들만 죽고, 고향을 등지며 피란 가고, 굶주림에 고통을 받고, 정말 인간이면 해서는 안 될 것이다.

내년에 미국 대선이 있다. 중요 쟁점 가운데 하나가 우크라이나 전쟁이다. 공화당에서는 트럼프와 펜스가 대선후보로 나올 모양이다. 공화당 지지자들 사이에서는 엄청난 인기와 영향력을 가진 터커 칼슨은 트럼프를 경멸하면서도 지지하는 언론인이다. 그는 특히 우크라이나 전쟁에 대해 매우 강경한 입장이다. 칼슨은 젤렌스키를 "독재자"라며 혐오한다. 칼슨은 또한 우크라이나 전쟁은 미국의 책임이 크며 이제 우크라이나에 대한 미국의 재정 지원을 중단할 때라고 재차 주장한다.

또한 칼슨은 "당신(펜스 전 부통령)은 지금 우크라이나가 미국 탱크를 충분히 지원받지 못해 불만인가? 지난 3년간 미국의 상황은 악화됐다. 차를 타고 한 바퀴 둘러보면 바로 알 수 있다. 미국의 경제는 쇠퇴하고, 자살률은 치솟았다. 비위생적이고 무질서한 환경에, 범죄는 기하급수적으로 증가하고 있다. 이런 상황에 미국 국민들 중 대다수가 어디에 있는 지도 모르는 나라에 탱크가 부족하다고 걱정하다니! 당신(펜스)은 미국에 신경 쓰기나 하는가?" <L diplomatique>2023.09. 세르주 알리미. p14~15.

미국의 말만 믿고 움직인 젤렌스키의 미래가 보인다. 미국을 모르고 국제관계를 모르는 대통령이 저지른 일로 인해 고통받고, 죽어가고, 피란 가는 국민들을 생각을 했다면 어떻게든 전쟁만은 막았어야 했다. 하나의 지도자가 한 국가를 전쟁터로 만들고, 전쟁놀이에 빠져 나라를 망하게 만들었다. 남 일 같지가 않다.

서기 전 1100년경에는 기자 일족이 고조선의 서부변경으로 망명해 왔다. ≪史記≫를 비롯한 중국의 기록에 따르면 기자는 商 나라 왕실의 후예였다. 그의 이름은 胥餘(서여)로서 箕(기)라는 지역에 봉해져 子라는 작위를 받은 제후였다. 당시의 작위는 큰아들에게 세습되었다. 그러므로 기자 가문의 종손들은 대대로 기자였다. 그 가운데 우리나라와 연관되어 있는 기자는 기자 서여였던 것이다.

상나라가 周族(주족)에 의해 멸망하자 기자는 동북지역으로 이주하여 지금의 난하 서부유역에 정착하였다. 그 후 전국시대 말기에 이르러 기자의 40여 세 후손인 丕(부)는 燕(연) 나라와의 관계도 좋지 않았고, 중국이 통일되어가는 추세를 보이자 난하 동부 유역에 이주할 터전을 마련하였다. 서기 전 221년에 중국이 진시황제에 의하여 통일되자 부의 아들인 준은 그의 일족을 거느리고 난하 동부 유역의 고조선 영토로 완전히 이주하였다. 서주의 망명정권인 기자국이 고조선의 거수국이 되었던 것이다. ≪史記≫에는 기자가 고조선에 살도록 주나라 무왕의 승인을 받았지만 주나라 신하는 아니라고 기록하고 있다. 기자는 주나라가 그를 배신자라 여기지 않고 고조선에 사는 것을 공식으로 승인해 주었으므로 고마운 마음에 보답하기 위해 주나라를 방문했다.

주나라를 방문해서는 무왕에게 鴻範(홍범)을 가르쳤다고 한다. 홍범은 천지와 정치에 관한 큰 규범을 말한다. 공자는 기자를 비간, 미자와 더불어 상나라 말기의 어진 인물 가운데 한 사람이라고 말했다. 이로 보아 기자는 학문과 덕망이 높은 사람이었음을 알 수가 있다. 주나라 무왕은 공자가 가장 존경했던 사람이었다. 그러한 무왕에게 홍범을 가르친 기자라면 儒家들로부터 존경을 받을만했다. 근세조선의 유학자들은 그러한 기자가 조선으로 망명했다면 그는 마땅히 고조선의 통치자가 되었을 것이라고 믿었다. 근세조선의 유학자들은 심한 慕華思想(모화사상)에 젖어있었다. 기자가 우리 민족을 통치했다면 그것은 명예스러운 것이라고까지 생각했다. 그래서 그들은 고조선의 뒤를 이어 기자조선이 있었던 것으로 우리 역사를 체계화했던 것이다.

아무도 알려주지 않는 고조선 이야기

"서한 초인 서기 전 195년에는 위만이 서한으로부터 기자국으로 망명해 왔다. 위만은 준(기자조선의 마지막 왕)에게 국경지대에 살면서 서한의 침략을 방어하겠다고 하므로 준은 위만을 믿고 博士(박사)로 삼아 국경의 난하 유역에 살도록 하였다. 위만은 그곳에 거주한 토착인들과 중국으로부터 망명 온 사람들을 규합하여 세력을 형성하였다. 그러고는 준에게 사람을 보내어 서한이 쳐들어오니 궁궐을 지키겠다고 거짓 보고를 하고는 무리를 이끌고 들어가 준의 정권을 빼앗아 위만조선을 세웠다." ≪새로운 한국사≫ 윤내현. 2005. 집문당.

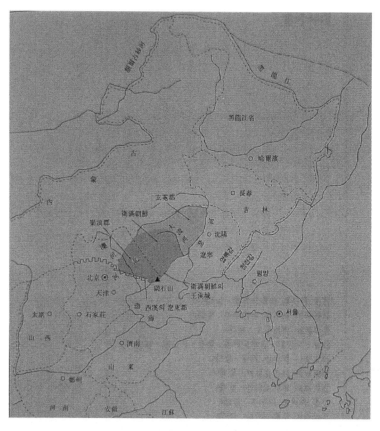

출처:≪새로운 한국사≫윤내현외 2인. 2005. 집문당. 위만 조선과 한사
군 위치도.

준은 황급히 발해로 도망하였다. 위만은 서한의 外臣이 되는

조건으로 군사적, 경제적 지원을 받아 고조선을 침략하였다.

서한이 위만을 지원한 것은 그를 이용하여 고조선의 힘을 빼

기 위함이었다. 당시 고조선은 철기가 보급된 이후 종래의 경

제구조와 사회구조가 붕괴되고 있어서 내부 상황이 매우 어려웠던 시점이었다. 그래서 위만이 손쉽게 세력을 확장할 수가 있었다. 위만은 그 세력을 지금의 다링허(大凌河)유역까지 확장하였다. 고조선과 위만조선은 동서로 대치하는 상황이 되었다. 서한은 무제 때에 이르러 국력이 강성하였다. 그래서 이젠 위만을 이용하여 고조선을 견제할 필요가 없었다. 위만의 손자 右渠王(우거왕) 때인 서기 전 109년에 무제는 楊僕(양복)이 인솔한 해군과 筍彘(순체)가 이끈 육군을 파견하여 위만조선을 공격하도록 명하였다.

위만은 난하유역에서 1년간에 걸쳐 서한의 침략에 항거하였으나, 위만조선의 내부에서 토착세력과 망명 세력 사이에 갈등이 매우 심하였다. 그러한 갈등은 결국 내부 분열을 가져왔고, 서한과의 전쟁이 치열한 가운데 위만조선의 대신 일부는 서한에 투항하였고 尼谿相(이계상) 參(삼)은 사람을 시켜 우거왕을 살해함으로써 서기전 108년에 위만조선은 멸망하였다. 위만조선이 멸망하자 서한 무제는 그 지역에 서한의 행정구역으로 낙랑군, 진번군, .임둔군, 등의 세 郡(군)을 설치하였다. 그리고 여세를 몰아 고조선 영토를 침략하여 지금의 랴오허(遼河)까지 차지한 후 앞의 세 군보다 1년 늦게 서기 전 107년에 랴오허 서부유역에 현도군을 설치하였다. 이렇게 설치된 낙랑, 진번, 임둔, 현도의 漢四郡(한사군)이 완성되었다.

한사군은 서기 전 82년에 진번과 임둔은 일찍이 폐지되고, 서기 206년에는 당시 그 지역을 지배하던 공손강이 낙랑군의 남부를 분할하여 대방군을 설치하였으나 서기 313~315년에 고구려의 공격으로 낙랑군, 대방군, 현도성 등이 모두 격파되어 축출되었다.≪삼국사기>권 17, <고구려본기>,<미천왕>12~16년조. 그 결과 고구려가 난하 유역까지를 차지함으로써 고조선의 고토를 완전히 수복하였다. 위에서 기술한 대로 기자국, 위만조선, 한사군은 서로 연결된 가건으로 지금의 난하 유역을 기점으로 하여 지금의 랴오시지역에서 일어난 사건이었다. 말하자면 고조선의 서부 변경에서 일어난 사건이었다. 이 기간에 고조선은 지금의 랴오허 동쪽에 건재하고 있었다. 다만 서부 영토에 변화가 있었을 뿐이었다.

그러나 한국사 일부 책에서는 기자의 후손인 準(준)을 고조선의 왕으로 잘못 서술함으로써 위만이 준에게 뺏은 정권이 마치 고조선의 정권이었던 것으로 잘못 인식되도록 만들고 있다. 그 결과 위만조선의 정권 수립과 동시에 고조선은 멸망하였고 위만조선과 한사군은 고조선의 영토를 차지하고 있었던 것으로 잘못되기에 이르렀다. 한민족은 그 역사 초기에 중국의 망명객이 세운 위만조선의 지배를 받다가 한사군이 설치됨으로써 서한의 행정구역에 편입되어 500년 이상 중국의 지배를 받은 것으로 사실과 다르게 왜곡되어 있는 것이다.

일제의 식민사학자들은 기자가 조선으로 망명했다는 중국의 기록을 전면 부인하고 있다. 그 오랜 옛적에 중국에서 조선까지 멀리 망명했다는 것은 물리적으로 불가능하다는 것이었다. 중국인들이 주변 이민족의 역사를 중국인들로부터 시작된 것처럼 꾸미기 위해 만들어 낸 가공의 이야기일 뿐이라고 주장했다. 일본이 그렇게 주장하는 이유가 있다. 일본인들은 任那日本府說(임나일본부설)을 조작하여 고대에 일본이 한반도 남부를 지배했던 것처럼 역사를 왜곡하여 우리나라를 강점한 것을 합리화하고 있었다.

그러나 중국인들은 기자의 조선 망명을 내세워 우리나라의 역사는 기자로부터 시작되었다고 주장해 왔다. 일본은 기자의 조선 망명을 부인함으로써 우리나라에 대한 중국의 연고권을 부인 하려 했던 것이다. 중국과 일본의 역사 전쟁이 우리나라를 두고 왜곡과 조작으로 얼룩지고 있지만 우리의 역사 대응은 부실하기 짝이 없고 오히려 일본의 식민사학에 동조하고 있으니 문제가 아닐 수 없다.

광복 후 국사 교과서를 만들면서 우리 학계에서는 기자조선을 없앴다. 불확실한 기자조선을 인정할 필요가 없다고 생각했던 것이다. 그러나 기자조선은 여러 문헌에 등장하고 갑골문에서도 확인된다. 그러므로 기자는 가공의 인물이 아니다. 윤내현 교수는 지금까지 고고학 자료, 청동기, 갑골문, 금문, 그리고 옛 문헌의 기록 등을 분석·종합해 기자와 기자국의 실체를 파악하고 복원을 했다. 그래서 기자의 내용은 위에서 서술한 대로 엄연한 사실이다. 식민사학자들은 학계 카르텔을 형성하여 권력을 붙잡고 횡포를 부리며 누릴 줄만 알았지 어느 누가 공부를 하여 윤 교수의 ≪箕子新考≫버금가는 논문을 발표한 적이 있는가. 일본 식민사학자들의 왜곡된 역사만이 진리인 것 마냥 오늘날까지 떠받들고 있으니 통탄할 일이다.

식민사관의 가장 큰 폐해는 진실을 훼손해 민중에게 열등감을 주입하고, 비주체적인 삶을 내면화하는 데 있다. 민중에게 노예의식을 심는데 식민사관만큼 효과적인 수단도 없다. 이러한 이유로 신채호, 정인보, 석주 이상룡 등이 무장투쟁을 하면서도 역사 연구에 매진한 이유다. 진실을 밝히지 않으면 그 어떤 희망도 없다. 그 희망은 사실로부터 나온다. 사실은 희망에서 나오고 희망은 사실에서 나온다. 단재 신채호는 그 사실을 역사와 민중에서 찾았다. 우린 진실을 찾기 위해 죽음을 불사하고 나아가야 한다.

몇 년 전에 "아프니까 청춘이다"라는 말이 우리 사회에 유행어처럼 번졌다. 무섭고도 잔인한 말이다. "현 시스템을 인정하고 열심히 노력하면 성공한다"라는 말은 지배 시스템으로 권력과 이익을 누리는 이들의 전형적인 논리다. 위로를 전하는 말이 아니라 경쟁에서 탈락하면 끝이라는 위협이다. 아프면 아픈 이유가 있는 법이다. 그런데 청춘이어서 그렇다니. 청춘을 넘긴다고 아픔이 사라지지 않는다. 중년은 더 아프고 노인은 골골 아픔을 달고 산다. "아프면 뒤집어엎어라" 아픔을 참지 말고 대들고 저항하라!! 분노하라!!

4. 한사군은 한반도에 없었다

漢四郡이 한반도에 존재한 적이 없었다는 사실이 객관적으로
드러나면 식민사학자들은 어떤 반응을 보일까? 아마도 그들
은 끝까지 자신들이 옳다고 강하게 반응을 할 것이다. 일본은
전쟁범죄에 대해서 사과하고 반성하는 모습을 이 순간까지도
하지 않고 억지를 부리고 있으니 그렇게 생각할 수밖에 없다.
漢四郡의 문제는 한국사 원형을 흔들어 놓는 중대한 문제다.
漢四郡의 위치와 성격에 따라 한국사의 기본틀이 완전히 바뀐
다. 다시는 말하고 싶지 않지만 여기에서도 등장하는 인물이
이병도와 그의 제자들이다. "한국사는 주체성이 없어 주변 민
족의 지배와 간섭, 침략에 의해 전개되어 왔다, 한국은 일본의
지배를 받아야 타율성에서 벗어나 발전한다" 는 것이 일제 식
민사학의 핵심이다. 여기에서 식민지 근대화론이 나왔다.

일제 식민사학의 논리는 한사군이 한반도 북부를, 임나일본부
가 한반도 남부를 지배했으니 일본 제국주의가 조선을 식민지
배하는 것은 한국사의 숙명이라는 것이다. 그들은 만선사관을
만들어내고 그에 맞춰 사대주의론 · 반도적 성격론을 만들어

내기에 이른다. 한국 주류 식민사학계는 고조선은 평양 일대의 소국에 불과했다고 주장하며 고조선은 서기전 2세기 무렵이 되어서야 국가로 성장했다가 바로 망했다는 것이다. 참으로 황당한 궤변을 늘어놓고 있는 것이다. 중국이 夏·商·周를 거쳐 春秋戰國時代를 거치는 동안 고조선은 '원시적 부락집단을 벗어나지 못했다'라는 주장을 하고 있으니 책을 읽고 공부하는 학자인지, 아님 사무라이들인지 묻고 싶다. 공부하고는 거리가 먼 낭인들이다.

한사군의 위치에 따라 고조선과 부여, 고구려 등의 위치가 정해지니 한국 고대사의 강역은 축소되어 보잘것없어진다. 한사군이 한반도에 있었다는 일제 식민사관의 전제에 따라 고조선은 물론 고구려, 백제, 신라, 가야의 역사가 재구성되었고, 이병도, 이기백, 김정배, 노태돈, 송호정 등이 학문권력을 유지해왔다. 예를 들어 동북아역사재단은 중국의 동북공정뿐만 아니라 일본의 식민사관과 맞서 싸우라는 뜻을 갖고 고구려역사재단을 확대 개편한 조직이다. 그런데 이마저도 한국 주류 식민사학계가 장악했으니 일제의 황국사관과 중국의 중화사관으로 중무장한 사람들이 우리 역사를 지키겠다고 있으니 황당하면서 개탄스러운 일이 아닐 수 없다. 고양이한테 생선가게를 맡겨 놓은 꼴이니 어찌 되겠는가?

한사군에 대한 정확한 인식은 한국 고대사의 체계를 바르게 인식하는 중요한 문제다. 한국 고대사에서 기자조선, 위만조선, 한사군 등은 상호 간에 긴밀한 연관을 맺고 있다. 셋 중 어느 하나라도 그 실체가 정확하게 설명이 되지 않는다면 그 전체에 대해서도 확실한 해답을 얻을 수 없게 된다. 한국 주류 강단사학계는 기자조선·위만조선·한사군 등은 같은 지역에 존재했던 정치세력으로서 서로 대체되어 시간적으로 선후관계에 있었던 것으로 인식해왔다. 이러한 한국 사학계의 통설에 따르면 기자조선·위만조선·한사군 가운데 어느 하나라도 정확한 위치가 확인된다면 그것은 자동적으로 다른 2개의 위치를 뜻하는 것이다. 잘 알다시피 주류사학계는 기자조선·위만조선·한사군의 낙랑군은 그 중심지가 오늘날 한반도 북부에 있는 평양으로 인식되어 왔다. 식민사학자들은 한국 고대사의 강역을 보잘 것없는 소국이었다는 것을 강조하며 주장하고 있는 것이다.

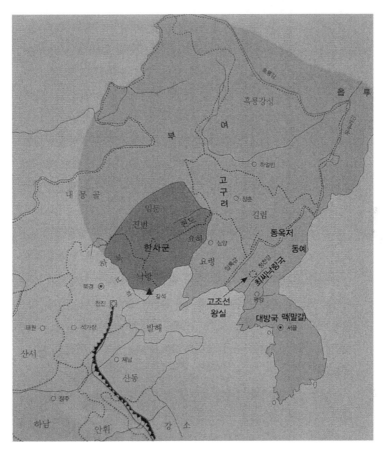

출처:《한국 고대사 신론》윤내현. 2017. 한사군의 낙랑군과 고조선 후
계의 열국 위치도. p465

이에 윤내현 교수는 다른 주장을 하고 있다. 한국 사학계의 통
설을 부정하면서 고조선의 강역을 오늘날 중국 하북성 동북부
에 있는 난하의 동부 연안으로부터 한반도 북부의 청천강에 이

르는 지역으로 추정하고 있다. 중요한 것은 위만조선이 고조선의 뒤를 이은 것이 아니라 고조선의 서쪽 변경에 위치해 있었던 기자의 40여 대 세대 후손인 準(준) 왕의 정권을 빼앗아 衛滿朝鮮(위만조선)을 건국하여 그 뒤를 이어받은 것이다. 그동안 한사군의 위치를 한반도 북부 지역으로 보게 된 것은 낙랑군 지역을 오늘날 평양을 포함한 대동강 유역으로 인식했던 것에 기반하고 있다. 그런데 위만조선이 오늘날 요하 서쪽에 위치해 있었다면 한사군이 그 지역에 있었다는 것이 확인되어야 하고, 특히 낙랑군의 위치가 그 지역 내에서 명확하게 확인되어야 한다는 숙제가 생긴다.

한사군 가운데 낙랑군의 위치가 중요한 이유는 한국사와 연관된 문제이기 때문에 반드시 확인하고 넘어가야 한다. 西周 초기에 箕子(기자)는 조선으로 망명을 했는데, ≪漢書≫<地理志> <낙랑군> '조선현'조를 보면 조선현에 대해서 東漢의 학자 응소는 주석하기를 "무왕은 기자를 조선에 봉했다"라고 하였다. 낙랑군의 조선현에 周 무왕이 기자를 봉했다는 것이다. 기자가 조선으로 망명한 시기는 서주 초인 서기전 12세기 말경이었고 한사군이 설치된 것은 서기전 108년이었다. 응소가 말한 내용은 한사군의 낙랑군 조선현은 바로 옛날에 기자가 망명하여 거주했던 곳이라는 의미이다. 낙랑군의 조선현은 일찍이 기자가 망명해 와서 자리했던 곳이며 후에 한사군의 낙랑군 조선현이 된 곳이기 때문에 조선현의 위치만 확인하면 한사군의 위치를 알 수가 있는 것이다.

설령 조선현의 위치를 모른다 할지라도 낙랑군에 속해 있던 25개의 현 가운데 그 위치를 정확하게 확인할 수 있는 것으로 수성현이 있다. ≪晉書≫<地理志> <樂浪郡>조를 보면 낙랑군에 속해 있는 수성현에 대해서 저자 자신의 주석으로 "秦(진)나라가 쌓은 長城이 일어난 곳이다"라고 기록하였다. 조선현과 함께 낙랑군에 속해 있었던 수성현에서 秦제국이 쌓은 長城(이른바 萬里長城)이 시작되었다는 것이다. "수성현에서 秦제국이 쌓은 長城이 시작되었음은 晉(진)시대에 저술된, ≪태강지리지≫에서도 확인된다. ≪태강지리지≫는 낙랑군 수성현에서 秦帝國의 長城이 시작되었다는 사실과 함께 그곳에 渴石山(갈석산)이 있음을 말해주고 있다. 이는 갈석산이 있는 곳은 秦帝國의 장성이 시작된 곳이며 아울러 낙랑군의 수성현 지역이기도 하다는 것이다." (윤내현≪고조선 연구≫.1994. 일지사. p367~370)

漢四郡의 위치를 그동안에는 한반도 북부와 지금의 요동지역으로 보았다.(주류 강단 식민사학자들 주장) 그 가운데 樂浪郡은 대동강 유역에 위치해 있다고 보았다. 낙랑군이 대동강 유역에 있었다면 위만조선·기자조선도 당연히 그 지역에 있었을 것으로 믿었다. 그러면서도 기자조선이나 위만조선에 대한 위치 고증은 단 한 번 도 없었다. 일본인들이 대동강 유역을 발굴하고 그곳에서 고대 중국의 유물들과 함께 낙랑·조선 등의 문자가 새겨진 기와나 봉니가 출토되었으므로 대동강 유역이 한사군의 낙랑군 지역이었음에 틀림없다고 주장하자 그것을 한국의 식민사학자들은 의심 없이 그것을 받아들여 지금까지 통용되어 왔다 그러나 유물이 출토되었다고 하더라도 그것만으로 문헌에 기록된 내용을 뒤엎을 수는 없는 것이다. 유물은 여러 가지 이유로 생산지로부터 멀리 이동할 수가 있는 것이다. 유물과 유적에 대한 해석이 문헌기록과 배치되었을 때는 그 해석에는 문제가 있는지 그렇지 않은지를 일단 의심해 보아야 하는 것이다. 식민사학자들은 그런 절차 과정 없이 그대로 받아들였다는 것은 문제가 있는 것이다.

만약 2천 년 뒤에 미국 뉴욕에서 한국 현대자동차의 부품이 땅에 묻혔다가 발견되었다. 그곳의 학자들이 연구와 깊은 고민 없이 한국 자동차의 부품이 발견된 것으로 보아 2천 년 전에는 뉴욕이 한국 땅이었을 것이라고 주장하는 것과 같은 이치다. 일본인들이 대동강 유역에서 발굴한 기와나 봉니가 중국 땅에서 만들어진 것이라는 사실만으로 그것들을 낙랑군 유물로 보고, 대동강 지역에 한사군의 낙랑군이 존재했다고 보는 것은 위험하다는 것이다. 유적과 유물의 해석에도 많은 오류와 의문점을 발견할 수가 있다. 그곳에서 출토된 유적과 유물에는 한사군의 낙랑군이라는 결정적 증거는 하나도 없었다. 그러므로 중국의 유물이 출토되었다는 이유만으로 대동강 유역을 한사군의 낙랑군 지역으로 볼 수 없는 것이다.

한사군의 위치는 중국의 옛 문헌에 기록된 바에 따르면 지금의 난하 하류 동부유역이었음이 확인되었다. 즉, 한반도에는 한사군이 없었다는 것이다. 식민사학자들이 주장하는 한사군의 위치를 지금의 요하 동쪽과 한반도 북부로 볼 경우 많은 모순이 나타난다. 대동강 유역에는 당시에 崔理왕이 다스렸던 낙랑국이 있었다. 이 낙랑국을 한사군의 낙랑군으로 잘못 인식하고 있었던 것이다. 우리가 잘 알고 있는 호동왕자와 낙랑공주의 이야기가 바로 평양지역의 최리가 다스린 낙랑국의 이야기였다. 그러니까 한사군의 낙랑군과는 전혀 다른 것이다. 윤내현 교수에 따르면 대동강 유역이 낙랑군 지역이 아니었으므로 그 유적이나 유물들을 '낙랑군 유적'이나 '낙랑군 유물'이라고 부르는 것은 옳지 않다고 주장하며. <대동강 유역 출토 중국 유물>로 부르는 것이 타당하다고 말한다.

지금까지 중-고등학교에서 한국 고대사를 배운 사람들은 다들 이른바 '한사군(漢四郡)'이 한반도에 설치되었고, 그 가운데에서 가장 오랫동안 존재한 낙랑군은 평양지역을 중심으로 위치해 있었다고 알고 있을 것이다. 그것은 지금까지 많은 사람들에게 역사적 사실로 알려져 있었다. 일제강점기 시절 일제와 조선총독부라는 정치적 비호 아래 '식민사관'의 숭배자들이 한반도에 대한 일제의 식민통치의 정당성을 입증하겠다는 헛된 망상에서 '낙랑군-평양', '한사군-한반도'라는 입증 안된 것을 실제로 그랬던 것처럼 식민사학자들은 주문을 외며 정설로 굳히는 왜곡된 역사인식을 우리 민족에게 각인시키고, 그 상태로 100여 년의 세월이 흐르다 보니 누구나 그것을 역사적 진실인 것처럼 인식하게 된 것이다.

이는 우리에게도 잘못이 있다. 여태껏 역사공부는 학교에서도 교육을 제대로 안 하지만 졸업을 하고 사회에 나오면 역사 관련 책을 읽는 사람은 드물다. 나만의 생각일지는 모르겠지만

TV를 보다 보면 예능에 출연하는 연예인이나 젊은 친구들의 역사실력은 초등생 수준도 안 되는 것을 보면서 미래가 암담하기만 하다. '역사를 잊은 민족에게는 미래가 없다'라는 말이 있듯이 현재에도 벌어지고 있는 일련의 사건들을 보면서 일본에 나라를 팔아먹게 생겼다는 소리까지 나오는데 우리 젊은이들의 목소리가 안 나오는 현실이 슬프기만 하다.

보 론

<箕子新考>. 윤내현

1982년 윤내현은 기념비적인 論文 <箕子新考>를 발표했다. 中國 古代史 전공자인 윤내현이 古朝鮮史에 개입한 첫 번째 出師表이다. 이 논문은 古朝鮮 연구에 있어 전대미문의 새 지평을 열었다. 왜 그런가.

이 論文은 우리도 잘 알고 있는 箕子라는 인물에 대한 연구이다. 윤내현은 箕子의 흔적과 이동을 규명했는데 중국 殷나라 멸망 후 망명한 箕子와 그 후손이 최종적으로 도달해 마지막까지 정착한 곳이 지금 山海關 부근이라는 것이다. 이 말은 箕子朝鮮이 한반도의 평양이 아닌 현 중국 河北省의 산해관 부근에 있었다는 뜻이다. 따라서 箕子朝鮮을 前後로 이은 古朝鮮과 衛滿朝鮮도 거기에 있었다는 말이 된다. 당연히 衛滿朝鮮이 망하고 그 자리에 설치된 漢四郡의 樂浪郡도 한반도의 평양이 아닌 산해관 부근에 있어야 한다. 箕子의 위치가 판명된 이상 이 모든 건 필연적 결론이다. 韓國 주류 고대사학계의 강단사학과 식민사학자들에게는 마른하늘의 날벼락 같은 소리이다.

이 논문은 文獻과 考古學을 망라한 최강의 논문이다. 윤내현은 이 논문에서 지난 수천 년간의 韓國과 中國의 모든 箕子 飼料와 箕子 研究를 비판적으로 검토했다. 동시에 中國 古代에서 殷나라와 周나라에 이르기까지 당대 歷史와 관련된 모든 고고학적 知識을 동원했다. 이것은 매우 논리가 정확하고 사료에 근거해서 작성한 논문이라 당시뿐만 아니라 앞으로도 흔들리기 어려운 연구이다.

이 논문은 윤내현 교수만 쓸 수 있는 논문이다. 왜냐하면 윤내현처럼 箕子에 대한 총체적 관심과 學問的 力量을 가진 다른 연구자가 없기 때문이다. 중국을 포함한 외국 학자들에게 箕子는 관심의 대상이 아니다. 반면 한국의 古朝鮮 연구자들은 상대적으로 기자에 대한 관심이 많지만 그중 윤내현 만큼 중국 고대사를 전공하고 박식한 사람은 없다.

이상의 이유로 이 논문 <箕子新考>은 中國 東北工程이라는 거대한 괴물의 심장에 박힌 폭탄 같은 역할을 한다. 당장은 중국이 <箕子新考>에 관심을 갖지 않는다. 韓國 주류 고대사학계의 小古朝鮮論(강단사학, 식민사학자)과 中國 東北工程의 내용이 거의 동일하고, 한국 소고조선론자들이 윤내현의 이론을 현재까지는 확실하게 눌러두고 있기 때문이다. 小古朝鮮論者

들이 國會에서까지 윤내현을 도륙하고 있다는 것은 中國 東北
工程 담당자들에게 너무도 행복한 일이 아닐 수 없다. 하지만
윤내현의 이론은 사라지지 않는다.

나중에 윤내현의 이론은 온당한 대접을 받아 제 모습을 드러
낼 것이고 중국은 그때서야 <箕子新考>의 위력을 알아챌 것이
다. 하지만 늦었다. 그들은 그때서야 <箕子新考>을 향해 온갖
비판을 하고 자신들의 새 이론을 제시하겠지만 그래봤자 김치
가 자신들 거라 우기는 것과 별 차이가 없다. 윤내현의 <箕子
新考>은 이미 1982년에 완비된 것이며 이는 한 명의 성실한 학
자가 수십 년 연구를 바탕으로 魂을 담아 완성한 것이다. 허풍
과 짝퉁밖에 모르는 중국 학계가 어찌해 볼 수 있는 논문이 아
니다.

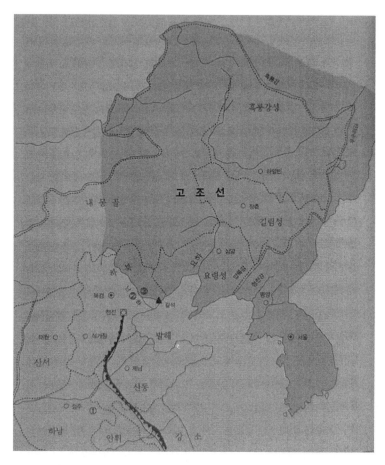

출처:≪한국 고대사 신론≫ 윤내현. 기자국 이동도 1. 상시대의 기자국.
2.서주~전국시대의 기자국. 3. 기자국 최후의 위치(진~한초)

윤내현은 어떻게 이런 논문을 작성할 수 있었는가. 우선 윤내
현은 자신의 연구 분야인 중국 고대사에서 최고 수준의 성취
를 이루었다. <箕子新考> 이전《商王朝史의 硏究》,《中國의 原

　　　　　　　아무도 알려주지 않는 고조선 이야기

始時代》 등의 책을 출간했는데 그의 제자 복기대의 말에 의하면 《中國의 原始時代》는 자신의 중국 선생도 믿기 어려워한 명작이라 한다. 일반 독자 수준에서는 쉽게 읽을 수 있는 책은 아니다. 그나마 윤내현의 《商周史》는 인내를 갖고 읽으면 대단하다는 것을 느낄 수 있을 것이다. 우리는 열국지니, 春秋時代니, 戰國時代니 하며 그 시대에 들어본 적이 있고 여러 소설이나 고전들을 통해서도 익숙하다. 하지만 그 시대에 무슨 일이 있었는지 알고 싶다면 《商周史》를 읽어보라 권하고 싶다. 당시 중국의 현실적인 사회. 경제적 상황을 뚜렷하게 확인할 수 있을 것이다. 이렇듯 해당 분야에 대한 윤내현의 학문적 성취는 아주 높았다. 그리고 이 분야는 다름 아닌 箕子의 배경을 이루는 전체 시공간이다.

이것으로 윤내현이 리지린을 표절했다는 식의 이야기들은 터무니없는 헛소리임이 자명하다. <箕子新考>의 내용들은 과거의 모든 고조선 연구자들, 가령 신채호, 정인보, 리지린 등 그 누구도 알지 못했던 내용이다. 당연하다. 이 논문은 그들 이후 새롭게 발굴된 고고학적 자료와 연구들을 담고 있는 것으로서 과거의 연구자들이 알기는커녕 상상할 수도 없는 것들이다. 마치 뉴턴이 나중에 등장한 아인슈타인의 상대성이론을 상상할 수 없는 것과 같다. 그러므로 표절 따위란 처음부터 말이 안 된다. 없는 것을 표절할 수는 없기 때문이다.

윤내현은 1979~1981년 하버드대학 인류학과 객원교수를 역임했다. 이 시기를 전후하여 중국과 북한의 방대한 자료를 섭렵했다. 또 그는 러시아의 고조선 연구자 부찐의 저서를 번역하는데도 중요한 역할을 했다. <箕子新考>는 이런 바탕 위에 탄생한 논문이다. 윤내현 아니면 불가능한 작업이며 차후로도 이만 한 공부와 실력을 가진 학자가 나오기는 아주 어려운 만큼, <箕子新考>은 실로 놀라운 저작이다. (≪고조선과 21세기≫ 김상태. 2021) 본문 p100~103 참조.

고조선에 대해 말은 많이 들어봤지만 실제 고조선 역사에 대해 알고 있는 사람은 드물 것이다. 우리 역사에 대해 관심을 갖고 공부하는 사람이 별로 없다는 생각이 든다. 요즘 정치인들이나 동북공정에 맞서서 싸울 사람들조차 《기자 신고》에 대해 알기나 할까? 그들에게는 기대도 안 하지만 국가 미래를 위해서는 심각한 사안이다. 고대사는 현재사이며 미래사이기도 하다. 한숨이 절로 나오는 상황이다. 학생들 교과서에도 왜곡된 채로 교육을 하는 현실이니...

문제의식의 부재,
박노자의 《거꾸로 보는 고대사》

박노자의 《거꾸로 보는 고대사》는 한마디로 "신채호의 역사관을 거꾸로 보자"는 주장이다. 이것은 결국 일제 식민사관에 입각해 한국사를 거꾸로 봐야 한다는 견해다. 박노자는 이 책에서 "고조선이 만주를 지배했다고?" "낙랑군은 침략자였는가" "고구려는 정말 제국이었나"라는 제목의 글들을 이어간다. 이 글에서 고조선은 만주에 있었던 적이 없으며 낙랑군 등의 한사군은 한반도 내부에 설치되었으며 고구려는 제국이라 부를 수 없다는 전제가 깔려 있다. 난 항상 의문점을 달고 살았다. 박노자는 이 사실들을 어떻게 알았으며 어떻게 확인 했을까? 그는 가야사를 연구한 학자이지 고조선사를 연구한 학자는 아니다. 그리고 한국에서 활동을 한 이후 눈에 띄는 전문적인 역사연구를 한적이 별로 없다.

그의 적지 않은 저서와 글들 가운데 역사학 논문이나 논고의 목록은 보이지 않기 때문이다. 그런 그가 이처럼 자신있게 고조선 관련된 한국 고대사를 단언할 수 있는 근거는 대체 무엇이란 말인가? 박노자는 고조선과 관련된 책의 첫부분 두 절에서 총 6명의 학자를 인용한다. 그가운데 다섯 번이 이병도와 송호정과 노태돈의 반복 인용이다. 이 사실은 지금 나로서는 어이상실이다. 이병도의 한국사는 전형적인 식민사학자로서 더구나 그 이론은 고대 주류사학계 내부에서도 구닥다리 취급을 받는다. 송호정과 노태돈은 형편없는 학자들이다. 차후 계속해서 하나씩 밝힐 것이다. 박노자는 가야사 전공의 학자이지만 결코 송호정이나 노태돈의 이론을 입증할 능력이 있는 것도 아닐 것이다. 마찬가지로 리지린과 윤내현으로 이어지는 논리를 반박할 수 있는 여건도 안 된다. (≪엉터리 사학자 가짜 고대사≫ 김상태 p120~121)

이병도는 와세다 대학교 교수였던 쓰다 소키치의 제자였으며, 쓰다 소키치가 발명한 식민사학은 현재 도쿄대 교수였던 다케다 유키오와 와세다 대학교의 이성시 등의 학자들에게 그대로 전수되었다. 이성시와 박노자는 식민사관을 그대로 반복한다.

"현재 일본에서 한국 고대사를 주도하는 다케다 유키오, 이성시, 기무라 마코토 같은 연구자들이 쓰다 소키치가 발명한 ≪삼국사기≫ 내물왕 이전의 기록 허구성을 따르고 있다는 것을 알 수 있다.(중략) 지금도 일본에서는 이들 세사람만이 아니라

아무도 알려주지 않는 고조선 이야기

거의 모든 연구자들이 쓰다 소키치가 발조한 식민사학을 그대로 따른다. 현재 일본에서 한국사를 연구하는 역사가들은 제국 일본의 역사가들이 한국사에 대하여 자행한 폭력을 밝히고 그 잘못을 시인해야 한다. (이종욱, ≪민족인가, 국가인가≫ 소나무, 2006, 62~63쪽)

이성시는 많이 양보해서 그렇다치자. 한국 주류사회에 비판적인 글을 쓰며 한국 사회를 혼내치는 박노자는 뭐란 말인가. 정말 어이가 상실이다. 박노자의 한국 고대사관은 철저한 황국사관이다. 그가 ≪거꾸로 보는 고대사≫를 쓰면서 참고했다고 밝힌 참고서적은 한국 식민사학계의 주역인 이병도, 노태돈, 송호정의 책 일색이다. 박노자는 그들의 견해를 그대로 반복해 일제 식민사관을 옹호하며, 아무런 연관없이 자신의 계급론을 접목한다.

"일연의 시대에야 "우리들의 시조" 이야기에서 여성인 웅녀를 동물인데다 단순히 단군을 낳고 어디론가 사라져버린 부차적인 요소로 묘사하고 환인, 환웅, 단군을 모두 '당당한 남성으로' 서술하는 것이 '당연지사'였겠지만, 양성평등의 시대인 오늘날에도 과연 여학생들에게 수염 긴 노년의 남성으로 그려진 단군에 대한 흠모를 강요할 필요가 있는가?" -박노자, ≪거꾸로 보는 고대사≫, 한겨레출판, 2010, 28쪽 단군에 대한 박노자의 인식을 보면 식민사학자들처럼 역시 엉뚱한 내용으로 사실을 호도하는 것을 반복한다. 그렇다면 나는 "양성평등의 시대인 오늘날에도 과연 여학생들에게 수염 긴 남성으로 그려진 예수나, 공자, 마르크스, 체 게바라에 대한 흠모를 강요할 필요가 있는가"라고 박노자에게 똑같이 묻겠다. 박노자는 한국 주류 식민사학계로부터 역사뿐 아니라 논법도 그대로 배웠다. 역사의 진실이 양성평등 시대에 필요하지 않은 이유가 도대체 무엇인가? 박노자는 신채호가 여성에 대해 어떤 견해를 가졌는지도 잘 모른다. 신채호의 글을 직접 접해본 것이 아니라 식민사학자들의 비난만 듣고 가슴에 새겼기 때문이다. 신채호 만큼 여성에 대해 진보적인 시각을 견지한 인물도 없다. 한 예로 백제의 시조는 소서노인데 ≪삼국사기≫ <본기>에서는 그 기록을 쏙빼고 비류와 온조의 기록을 전했다며, "이 어찌 웃을일이 아니냐. 이것이 그 첫 번째 잘못이다"라고 비판했다.

"소서노가 재위 13년 만에 죽으니, 소서노는 말하자면 조선 역사상 유일한 여제왕 창업자일 뿐만 아니라 또한 고구려와 백제 두 나라를 건설한 자이다." -(신채호, ≪조선상고사≫ 비봉출판사.2006 178쪽)

또한 신채호는 ≪삼국유사≫의 단군사화를 소개하면서도 여성을 존귀한 존재로 보지 않고, 낮춰보면서 조선고유의 신화가 되지 못했다는 지적이다. 불교가 수입된 이후에 불교도의 손에 의해 점철된 것이 적지 않다고 생각한다. 신채호의 진보적 가치, 사료에 대한 철저한 문헌고증을 한국 주류 사학계에서는 온갖 수단을 써서 폄하한다. 박노자는 이를 그대로 받아들여 아무런 근거 없이 비난한다. 신채호의 ≪조선상고사≫와 ≪조선혁명선언≫을 제대로 읽은사람이 아니다. 황국사관은 침략과 지배에 입각한 폭력 이데올로기다. 약자에 대한 강자의 지배사상이다. 군국주의는 여성을 남성과 동등한 인격체로 보지 않는다. 일제는 한국과 세계의 소외된 여성을 '성 노예'로 악용했다. 또한 단군은 수 천년 내려온 민족의 건국시조다. 단군의 정신은 '홍익인간', 즉 "널리 인간을 이롭게 한다"였다.

박노자의 역사인식은 놀라움 그 자체다. 자국의 역사를 부정해야만 노동계급의 정당성이 부여되는 것인가? 기고문에서 그는 다음과 같은 주장을 펼쳤다.

"그런데 학생들이 국사 교과서에서 "단군왕검이 고조선을 건국했다"는 내용을 마치 역사적 사실인 것처럼 배워야 할 만큼 '민족'의 신화는 여전히 사회 일반에 상당한 지배력을 행사한다. 그 발원지인 유럽에서 이미 우파의 구시대적 전유물로 전락해 버린 '민족' 담론이 '노익장'을 과시하는 이유는 무엇일까? 계급 모순이라는 기본적인 문제를 덮어버리는 것이야말로 민족주의의 가장 큰 폐단이다. 보통 탈민족주의의 입장에 서는 이들을 공격할 때에 '좌파 민족주의자'들이 "그러면 대안이 무엇이냐, 민족이 용도 폐기되면 진보의 구심점이 될것이 무엇이냐"라고 묻곤한다. 필자로서는 그 답이 분명하다. 국제주의적 계급 노선, 가깝게는 동아시아, 동남아시아 지역의 '피해자 연대'가 진보의 거시적 담론이 되는 것은 자본주의의 일차적 모순과 분단의 이차적 모순 극복에 가장 도움이 된다."―<한겨레>, 2007년 11월 16일

출처:≪거꾸로 보는 고대사≫박노자. 고구려의 영향권을 현실 이상으로
과장해 그린 지도들. 박노자는 고대의 국가들을 한반도에 국한 시키려고
일본 식민사학자들의 말을 반복하고 있다.

유럽의 역사와 쇼비니즘을 한국역사에 그대로 적용하는 것은
한마디로 몰역사적이자 비주체적인 시각이다. "그 발원지인
유럽에서 이미 우파의 구시대적 전유물로 전락해버린 민족담
론"이라니, 왜 역사를 유럽의 시각으로 봐야만 하는가. 동아시
아의 피해자들은 모두 일본의 제국주의에 당했다. 일본의 대동
아공영권, 대아시아주의에 의해 피해를 입은 나라들만 해도 한
국, 대만, 필리핀 등 수없이 많다. 박노자는 이 나라들에서 식
민주의를 비판하는 것을 극도로 비난하면서 일제 식민주의를
옹호하고 있다.

박노자는 유럽의 상황을 왜 한국사에 무비판적으로 적용해 비
난하는가? 박노자는 에드워드 사이드의 ≪오리엔탈리즘≫ 도

읽어 보지 못한 것인가? 서구중심주의 오리엔탈리즘에 빠지면 여타 민족고유의 세계관. 자연관. 우주관을 비과학적이고 비합리적인 것으로 규정한다. 그 민족이 배태하고 전수해온 역사와 전통, 문화를 후진적이고 낙후된 것으로 낙인찍는다. (《한국사가 죽어야 나라가 산다》이주한.2013.역사의아침. 271~272쪽)

왜? 반파시즘, 반권위주의, 민중성과 진보를 주장하는 진보 논객 박노자가 가장 권위적이고 가장 파시즘적이고 가장 보수적이고 가장 기득권에 연연하고 가장 반민중적인, 묵을 대로 묵어 곰팡이 냄새가 진동하는 한국 주류 강단 고대사학자들의 경호원이 되어버렸다. 박노자 자신도 강단사학으로서 한통속이 되었단 말인가? 그러나 이런 일을 하고있는 박노자는 상상이 안된다. 박노자는 중대한 오해와 실수에 빠져든 것 같다. 박노자가 이 근원적인 질문에 다시 한번 재고하기 바란다. 박노자가 말하는 신채호는 당신이 함부로 평가 내릴수 있는 사람이 아니다. 당대 인물치고는 이상할 정도로 여성관이 진보적이며 우호적이다. 그러면서도 타협없는 무장투쟁을 했고 동시에 신이 들린 것처럼 글을 쓰고 시를 쓰는 문학자이기도 했다. 보기에 따라서 신채호는 우리나라의 첫 번째 현대인이자 자유인이기도 했다.

≪거꾸로 보는 고대사≫에서 신채호, 윤내현을 싸잡아 비판하고 있다. 그렇다면 비판하는 이유와 근거를 대라. 박노자는 이 책 외에 고조선 관련 논문을 썼다는 얘기를 들어본 적이 없다. 그럼 대체 신채호와 윤내현이 무슨 잘못을 했으며, 학문적으로 무슨 오류를 범했는지 근거를 대야 할 것이다. 그런데 박노자는 이유와 근거를 제시하지 않는다. 아무 근거도 없이 학자들을 이렇게 대접해도 되나? 더구나 한국사회에 비판의 칼날을 들이대면서 진보의 논객으로 활동하는 사람이 이래도 되는 것인가? 이게 당연하다고 생각되는가

박노자는 서구에서 등장한 배타적이고 침략적인 쇼비즈니즘과 피압박적인 민족주의를 구분하지 못하는 유럽 중심주의 사고를 벗고 대중과 역사 앞에 겸손했으면 한다. 한국 민족은 동학농민운동과 3.1운동, 임시정부와 항일 무장투쟁, 4.19혁명과 1980년대 광주민주화운동, 6월 민주항쟁으로 점철된 민중의 민족과 민주주의의 전통을 갖고 있다. 이것이 한국민족의 빛나는 전통이요 생명력이다. "민중은 우리 혁명의 본영이다"라고 말한 신채호는 <독사신론>에서 다음과 같이 말했다.

"국가의 역사는 민족의 소장성쇄의 상태를 가려서 기록한 것

이다.민족을 버리면 역사가 없는것이며, 역사를 버리면 민족의 그 국가에 대한 관념이 크지 않을 것이니, 아아, 역사가의 책임이 그또한 무거운 것이다. "

진보는 인간과 자연에 대한 깊은 이해와 사랑으로 진실을 추구한다. 기존 가치에 매몰되지 않은 가치관으로 세계를 근본적으로 변혁하려는 사람들이 진보주의자다. 세상 밑바닥에서 묵묵히 자신의 책임을 다하는 민중과 그들을 위해 자신의 인생을 걸고 스스로 혁명하는 이가 민주주의자이다. 그리고 언제나 난 의문을 하나 갖고 있다. 박노자는 가야사로 박사학위를 받았다. < 5세기 말부터 562년까지 가야의 여러 초기 국가의 역사>라는 논문으로 말이다. 보통은 박사학위를 받으면 책으로 내는 경우가 많은데 책으로 냈다는 얘기는 들어보지 못했다. 그리고 논문도 찾기가 만만치가 않다. 구해서 읽어보려고 해도 구할 수가 없어서 못읽고 있다. 여러가지로 의문점이 있다. 안 읽어봐서 더 이상은 말은 못하겠다. 요즘에 가짜들이 진짜로 행세하고 진짜나 묵묵히 공부하는 사람들은 대접도 못받는 이 놈의 거꾸로 된 세상. 가짜가 아닌 나의 기우였으면 좋겠다. 아! 근데 가짜가 너무 많아. 끊으려고 해도 자꾸 써진다. 진짜였으면 좋겠다. 정말로!

아무도 알려주지 않는 고조선 이야기

皆基種也(개기종야)·한사군

衛滿朝鮮은 서기전 108년 한나라에 망하고 그 자리에 낙랑, 임둔, 진번 3군이 설치됐고, 그 다음 해 현도군이 설치되었다. 위만조선의 영토는 서한의 행정구역이 되어 그곳에 네 개의 郡이 설치되었다. 이것이 바로 漢四郡인 것이다. 사마천≪史記≫에는 네 곳의 명칭이 나오지 않고 있다. 그 후 東漢 시대 반고에 의해 편찬된 ≪漢書≫<朝鮮傳>에 한사군의 명칭이 나온다. 중국은 한나라가 한사군을 설치했다고 하지만 그들은 한사군 지역도 밝히지 못하고 있다. 한사군은 그 내막을 조사해 보면 껍데기만 있고 내용은 없다는 것이다. 그러니까 역사를 자기 나라에 유익하게 조작한 것이다.

고조선의 역사를 바르게 인식하기 위해서는 箕子朝鮮과 衛滿朝鮮, 漢四郡의 위치를 밝혀, 이들이 고조선과 어떠한 관계에 있었는지를 밝힐 필요가 있는 것이다. 그간의 통설은 이들이 수직적인 계승 관계에 있었다고 보아 왔다. 그런데 종래의 체계가 통용되어 오고 있으면서도 이들의 위치에 대한 고증은 거의 행해진 바가 없었다. 지난날 통용된 것을 의심하지 않고 그대로 답습해 왔던 것이다. 역시 한사군의 위치에 대해서도 기본사료를 통한 근본적인 검토가 어우러지지 않았다. 일본인들이 대동강 유역에서 중국의 유물을 발굴하고, 그것을 근거로 하여 그곳을 한사군의 樂浪郡 지역이라고 발표하자 그것을 의심하지 않고 받아들였다.

기자조선과 위만조선, 한사군의 지리적 위치는 함께 밝혀져야 한다. 그리고 그 결과는 모두가 같은 곳으로 나타나야 한다. 왜냐하면 이들은 서로 계승 관계에 있기 때문이다. 그렇지 않으면 그 고증은 문제가 있는 것이 된다. 최태영 교수의 연구에 의하면 "중국은 한사군의 지배 야욕이 실현된 적이 없다는 것이다. 4郡이 있었던 것을 전할 정도로 漢이 강력했던 것은 사실이다. 그러나 중국인들은 4군 설치 당시의 지역도 대지 못했을 뿐더러 얼마 안 가 합군하고 포기한 기록과 함께 마침내는 濊貊인의 수가 많아 어쩔 수 없다는 말을 남겼다. 즉 4군은 있었지만 그동한 어설피 인식된 것처럼 그렇게 넓은 지역에 걸쳐 있었던 것도 아니며 명실공히 조선을 지배한 것도 아니다."라고 말한다.

≪三國志≫에 보면 "예맥인의 수가 하도 많아서 어찌할 수 없

다(開基種也)"고 나와 있다. 종래의 한사군 반도설은 국내 학자들이 아무 논증 없이 중국과 일본의 일방적 주장만을 받아들였기 때문이다. 우선 낙랑국과 낙랑군은 아주 다르다는 것을 알아야 한다. 낙랑군은 고조선의 서쪽 변경 지역에 있는 난하 유역의 조그만 구역이라는 것을 염두에 두어야 한다. 평양 부근의 낙랑국은 ≪三國史記≫에 나오는 崔理의 왕국으로 우리가 알고 있었던 호동왕자와 낙랑공주의 연애로 잘 알려진 나라이다. 같은 지명이 여러 개 있는데서 오는 혼동을 구별하지 못한 탓이다. 일본인들이 평양 부근의 지역에서 나온 유물을 빌미로 낙랑국이 다 중국 것이라면서 일본인들이 한사군의 반도설을 주장한 것이다. 이에 대해 우리는 한 번도 그러한 주장의 배경을 스스로 연구하지 않고 일본이 조작해 놓은 대로 멋모르고 따라갔던 것이다.

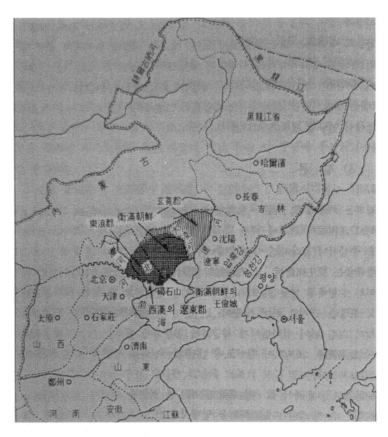

출처:≪고조선연구≫윤내현.1994.만권당. 위만조선과 한사군 위치도.

鄭寅普(정인보) 선생은 ≪朝鮮史硏究≫에서 평양에서 나왔다
고 일인들이 한나라의 유물이라는 封泥(봉니)의 위조설과 점
재현신사비의 正體를 명쾌하게 파헤쳐 한사군이 평양지역에
있었다는 일본의 주장을 정면으로 부정했다. "일인들이 발견

아무도 알려주지 않는 고조선 이야기

한 70여 개의 봉니는 유독 한자리에 있었으며, 낙랑의 名을 나타내는 군명과 관직명이 어긋나 믿을 수 없으며, 역사 조작의 재주꾼들인 일본인들이 당시 상황에 맞춰 조작해 낸 것이 분명하다"라고 정인보는 밝혔다. 한사군의 역사는 왜곡이다. 그동안 한사군을 있는 것으로 전제한 것은 애초엔 그런 소리가 없었다가 4군 설치 후 2백 년이 지나 중국인들이 역사에 한사군이 있었다고 기록한데서 시작됐다. 그러나 중국이 한사군을 감당하거나 제대로 권력을 행사한 적이 없다. 중국인들이 과거 자신들이 한사군이란 것을 통해 조선에 지배적인 영향력을 행사한 것처럼 과장하려고 만들어 놓은 것이다. 가짜 한사군을 만들어 놓고 사대주의 하게 하려 했던 것이다.

崔凍(최동) 선생도 ≪조선상고민족사≫에 한사군은 반도에 없었다고 했다. 이 당시는 예맥과 突厥(돌궐)이 세력이 강한 때라 후한의 光武帝는 서기 30년 낙랑군동부도위의 관직을 폐하고 영동 7현을 완전히 포기할 정도이다. 4군의 설치가 반도 내에서 발생한 것으로 믿는 학자가 다수이었다. 그것은 과거 조선 학자의 다수가 중국의 허위 아니면 과장된 사적이라도 충실하게 신봉하여 중국에 대한 선입감에 지배되었으며, 당시의 국제 정세를 검토하지 아니하고 오직 중국 문화에 절대 신용한 것이었다. 그 근거가 되는 것은 ≪漢書≫와 ≪漢書地理誌≫였다. 약 2백 년이 지난 서기 1백 년경의 저술이었다. 이는 시간이 많이 흘러 자기들의 역사를 조작할 수 있는 세월이다.

한이 낙랑군을 포기한 데 대한 최동의 견해는 다음과 같다. "낙랑군은 조선의 옛 터이며 그 주민 대부분이 예인이라는 당시의 조선인이었다. 고로 漢 인이 통치하기 곤란했고 겸하여 예맥족을 대표하는 고구려가 그 동북방에서 신흥국가로 대두하여 동족끼리의 연락 내통도 있었을 것이다. 漢은 임둔 진번의 2군을 우선 포기하고 낙랑군 역시 퇴각했다. 흉노와 돌궐이 강한 때여서 한나라는 외역인 낙랑군 통치에 적극적일 수 없으며 무제 이후로는 내치로도 번망한 것이었다. 후한 광무제는 낙랑군의 유명무실한 현실을 청산코자 했다.(중략) 당시 그 지방은 주민의 전부가 조선인이었으며 그 두목인 거사를 侯(후)로 봉하였는데 *法權者*로 한 듯하다. 개기종야(皆其種也)라고 하는 어투는 다소 분개한 흥미 있는 어투이다"≪삼국지≫, 최동 ≪조선상고민족사≫pp420~421.

최동이 증명했듯이 한사군을 포기한 증거가 중국 역사에서 확실히 나타났다. '개기종야(皆其種也)' 란 말이 그것이다. 낙랑군을 포기하면서 약올라 한 소리인데 그 말엔 두 가지 뜻이 담겨있다. 하나는 '수가 하도 많다'라는 것과 '왜 이렇게 떼거리가 많으냐, 감당 못하겠다.' 즉 4군을 만들긴 했지만 동이 예맥족 수가 많기도 하고 힘이 너무 강해서 말을 안 들어 어떻게 해먹을 수가 없다고 실토하는 역사기록인 것이다. 이걸로 봐서 순수하게 떼거리가 많아서 힘으로 통치할 수도 없었겠지만 우리 민족의 저항운동이 있었음이 짐작된다고 최동은 썼다. 한사군 지역 내 주민의 대다수가 조선 동이인 예맥인들로 실력이 대단해서 중국이 제 뜻을 실현하지 못하게 되자 기록에 이상하고 격분한 어투를 남겼는데 그것이 바로 '개기종야'라는 것이다. 한반도 내의 낙랑군이나 대방은 한 번도 漢人들이 자리 잡지 못한 곳이다.

중국인의 한사군이란 내용 없고 거짓이며 논의조차 할 가치가 없는 이야기이다. 중국인의 허세에서 생겨난 것이라고 치부할 수밖에 없다. 결국은 이것도 어찌 보면 우리의 잘못이 크다 할 수 있겠다. 중국의 사대주의와 일본의 식민사관에 쩌들은 이들이 맹목적으로 추종하고 굴복하며 받아들인 결과로 볼 수 있겠다. 한사군은 중국인들의 야심을 드러낸 표현이며 일본인들은 거짓으로 조작한 유적 유물로 한사군의 반도설을 주장했지만 우리 역사학자들이 연구하고 노력했더라면 충분하게 밝힐 수 있는 사실인데 지금까지도 그들이 주장한 내용을 금과옥조 마냥 섬기고 있다는 것은 외형적으로 커진 경제규모를 생각하면 수치스럽고 부끄러운 일이다. 무슨 소용이 있겠는가. 역사를 잊은 민족에게는 미래가 없다고 했다. 우리 역사 魂이 살아있어야 한다. 튼튼한 뿌리가 있는 나무는 거센 태풍이 와도 뽑히지 않고 그 수많은 가지와 잎들을 지키며 위풍당당하게 서 있다. 넋을 놓지 말자.

아무도 알려주지 않는 고조선 이야기

만주의 역사, 그리고 間島(간도)문제

역사가 시작된 이래 세계사가 흘러온 과정을 살펴보면 국민 스스로 역사를 올바르게 인식했던 나라는 번영했지만 그렇지 않았던 나라는 역사 속으로 사라져 버렸다. 즉 역사의식과 주체의식이 강했던 민족만이 인류 사회에서 제구실을 다했던 것이다. 오늘날 우리에게 잊혀지고 있는 만주의 역사는 저 멀리 기억 저편에 있지만, 우리 민족의 故土인 동시에 기회가 된다면 반드시 되돌아가야 할 땅이다. 만주는 우리 선조들이 가장 먼저 자리 잡았던 터이다. 우리 민족이 4000년 이상이나 살아왔던 땅이다. 실제로 우리 선조들은 만주를 지키기 위해 피와 땀을 흘렸으며, 선조들이 이곳에 묻혀있다. 만주는 그래서 우리가 결코 잊어서는 안 될 지역이다.

우리는 만주의 역사에 대해 너무나 모른다. 해서 중국이 滿洲史를 中原(중원)의 역사에 편입시켜 이야기할 때마다 우리는 거기에 대해 논리적으로 반박하기에는 만주에 대한 우리의 연구가 너무나도 부족했다. 우리가 만주의 역사에 대해 잘 모르는 이유는 일부 식민사학자들이 우리의 고대사를 무시한 채 만주 땅을 중국 땅으로 보고 滿洲史가 中國史의 일부라는 식으로 우리에게 가르쳤기 때문이다. 이런 그릇된 역사관으로 인해 우리 국민들은 만주가 有史이래 중국의 영토였던 것으로 착각하고 있었던 것이다. 중국인이 만주를 차지하고 주인 행세하기 시작한 것은 불과 100년 정도에 지나지 않는다. 하지만 우리 민족은 유사 이래 4000년 이상이나 만주에서 거주해 왔음에도 불구하고 조상이 물려준 귀중한 영토를 지키지 못한 채 한반도에 안주하면서 초라한 약소민족(영토 면에서)으로 전락하고 말았다.

아무도 알려주지 않는 고조선 이야기

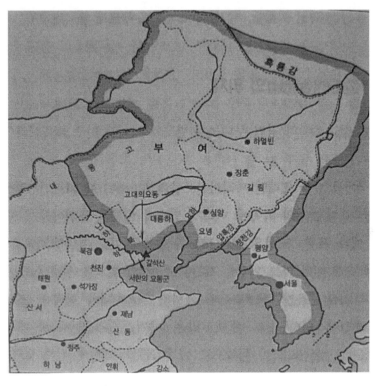

출처:《만주의 역사와 간도의 문제》 고조선의 강역

언젠가 통일이 되어 만주를 두고 한국과 중국 간의 영유권 문제가 제기될 경우를 대비해서 만주사에 대한 역사연구가 필히 되어야 한다는 목소리를 내고 싶다. 한민족이 언제부터 만주에 정착했는지는 정확히 알 수 없다. 이 지역의 여러 지역에서 북방식 신석기 시대 및 청동기 시대의 유물 유적이 지속적으로 발굴되고 있는 것을 보면 우리 민족이 만주에서 문화를 꽃

피워 나갔다는 것은 부인할 수 없는 사실이다. "고조선의 창건 무대는 한반도가 아니라 만주 대륙이다." 중국에서 가장 오래된 지리서인 ≪山海經≫에 따르면 "황해의 안쪽과 발해의 북쪽에 나라가 있으니 이름을 조선이라고 한다." 또한 "조선은 열양의 동쪽에 있고, 열양은 燕(연)에 속해 있다"라고 고조선의 위치를 기록하고 있다. ≪史記≫<蘇秦列傳,소진열전>, <匈奴傳,흉노전>에서도 고조선이 만주 대륙을 중심으로 건국되어 있었다는 것을 기록하고 있다.

여러 차례 이야기했지만 고조선의 강역은 광대하여 만주 전역을 거의 다 포함하고 있었는데 동으로는 동해, 서쪽으로는 난하(오늘날의 북경 근처), 남으로는 한반도 전역을 경계로 하였다.

압록강 북쪽 땅을 西間島(서간도)라고 한다. 서간도 지방은 두만강 이북의 간도 지방보다 지역이 훨씬 넓고 땅도 비옥할 뿐만 아니라 지하자원이 매우 풍부하다. 이 풍요로운 땅이 조선의 땅이었다. 서간도는 淸 태종 때 조선의 땅으로 획정된 지역이며 강희제도 "압록강 북쪽 약 2만 km² 땅이 조선의 영토"라고 하였다. 그래서 조선이 그 땅의 영유권을 가지고 있는 것은 틀림이 없는 사실이다. 19세기 말엽에 이르러 간도의 영유권

아무도 알려주지 않는 고조선 이야기

문제를 놓고 韓·淸 양국 사이에 분규가 생겼을 때도 서간도 문제는 거론되지 않았다. 乙巳五條約(을사오조약)으로 대한제국 정부의 외교권이 일본으로 강제로 넘어간 후 일본이 간도의 한국 귀속을 강경하게 들고나왔을 때도 서간도에 관해서는 언급조차 되지 않았다. 그러다가 간도협약으로 일본이 간도를 포기하면서 서간도는 어이없게도 청국으로 넘어가고 말았다.

압록강 북쪽이 조선의 영토라는 것은 왕은 물론이고 대신들도 알고 있었음에도 불구하고, 조선 말기의 나약하고 무기력한 왕과 사대주의와 안일에 빠진 조선의 대신들로 말미암아 우리의 北邊(북변) 강토를 청국에 넘겨주고 만 것이다. 조선의 서북지역에 사는 굶주린 백성들은 조선 헌종 이후 압록강을 건너 서간도의 각지에 정착하였다. 철종 때부터는 세도정치에서 비롯되는 가렴주구와 국력의 쇠퇴로 말미암아 조선을 등지고 압록강 북쪽 지역으로 넘어가는 사람들이 크게 늘어난다.

당시의 서간도 이주는 개척정신의 발로로 나온 것이 아니라 조선의 타락 정치로 시달린 살기 어려운 사람들이 옛 고토에 희망을 걸고 곤궁한 생계를 면해보려는 데서 나온 것이었다. 특히 고종 때는 민생이 더욱 도탄에 빠져 살길을 찾아 서간도로 넘어가는 사람들이 대폭 증가하였다. 민생이 도탄에 빠지고 생계가 어려운 것은 예나 지금이나 별반 다를 게 없다. 정치하는 사람들이 무능하고 무지해서 나라를 한순간에 후진국으로 전락시킨 것이다. 임금이 백성을 생각하지 않는 정치는 언젠가 멸망한다는 것은 기정사실이거늘 애써 모른 척들 한다. 왜 모른척할까?

자기들은 잘살기 때문에 모른 척을 하는 것일까? 이는 착각을 하는 것이다. 나라가 있어야 잘사는 당신들도 이 땅에서 잘살 수 있는 것이다. 나라 없는 백성은 잘사는 사람이나 못사는 사람이나 3류 국민 대접을 받는다. 나라 잃고 거꾸로 유랑하며 떠도는 팔레스타인 민족이나, 쿠르드족의 운명은 하루하루가 고달프기 한량없다. 잘사는 국가로부터 지금도 죽임을 당하고 고문을 당하며 살고 있는, 그들의 처지에서 잘살고 못사는게 무슨 의미가 있는가? 하루하루가 지옥인데...

일본은 1905년 한국의 외교권을 빼앗은 후 1909년 청과 '간도에 관한 협약'을 체결하고 간도의 영유권을 포기함으로써 우리 민족은 만주를 빼앗기고 말았다. 일본이 을사오조약과 한일병탄으로 한국의 주권을 강탈하자 애국심에 불타는 많은 한인지사들은 만주로 들어가 독립운동을 시작하였다. 일제의 식민지 당시 한인 독립운동은 간도를 거점으로 동만주, 남만주, 북만주에서 독립운동을 목숨을 걸고 투쟁하였다. 그러나 1931년 일본은 만주사변을 일으켜 만주를 점거한 뒤 1932년 소위 '만주국'을 설립했다. 친일 만주국의 등장으로 200여만 우리 동포들의 생명과 재산은 심각하게 위협을 받았다. 항일 독립운동에도 굉장한 타격을 주었다. 우리 한인들은 무장 독립운동의 마지막 거점지를 상실하였고 해방이 될 때까지 이런 안타까운 상황은 계속됐다. 그리고 일본의 항복 이후 중화인민공화국에 의해 접수되었고 이와 같은 상황은 오늘날까지 이어지고 있다.

중국이 소수민족에게 자치를 부여하는 방침을 세움에 따라 1952년 '연변 조선족자치구'를 허락하였다. 조선인의 민정을 운영토록 하고 있다. 혹자는 이 같은 조치가 중국 당국이 간도에 대한 조선족의 연고권을 고려한다는 뜻이 있지 않은가 하는 이도 있다. 그러나 이것은 간도 문제를 너무 느슨하게 생각하는 것이 아닌가 한다. 중국의 역사를 보면 분열은 결코 있을 수가 없다. 티벳 문제, 신강위구르족 문제 그리고 조선족의 동북 3성 문제는 과대할 정도로 민감하게 생각하며 혹 시위라도 하면 무력으로 단호하게 진압한다. 특히 동북 3성(흑룡강성, 길림성, 요령성) 문제는 북한과 연계가 되기 때문에 민감하게 반응한다.

나관중의 ≪三國志演義≫ 맨 서두에는 유명한 구절, 天下大勢(천하대세), 合久必分(합구필분), 分久必合(분구필합)이다. 중국이란 나라는 '합함이 오래가면 반드시 나뉘고, 나눔이 오래가면 반드시 합한다'라는 것이다. 사실 중국 역사를 보면 합쳐져서 오래간 것도 아니고, 또 나뉘어서 오래간 것도 아니다. 왕조 단위로 보면 200년~250년 정도, 그것도 처음 왕조 시작 이후 50~60년, 길어야 100년 정도가 合이고 나머지 150~200년은 分이나 다름없는 상태로 분열되어 있었다. 그러니까 중국은 '통일과 분열'이 끊임없이 계속되고 교차되는 것이 중국의 역사다. 왕조 안을 들여다보면 초기 얼마 간을 제하면 거의 전 기간이 반란이 그치지 않는 내란상태였다고 봐도 무방하다. 일단 균열이 깨지고 내란상태로 들어가면 그들끼리의 싸움은 동족이라 하기엔 너무 야만적이고 비인간적이었다. 그 잔인함은 다른 종족에서도 찾아볼 수 없는 극한의 상태까지 이르게 된다.

그러니 현재의 중국 당국이 소수민족의 반란은 결코 용납하지 않으며, 데모나 시위 마찬가지다. 중국 내부의 문제거리다. 중

아무도 알려주지 않는 고조선 이야기

국이 세계패권을 노리고 있지만 내 생각으로는 환경문제, 소수 민족의 분열 문제, 인민을 먹여 살릴 수 있는 경제 문제, 민주 주의가 해결되지 않으면 세계패권 국가는 말 그대로 이룰 수 없는 中國夢이 될 것이다.

지금의 우리나라 상태는 정상이 아니다. 이대로 간다면 중국에 심한 타격을 받을 일이 생긴다. 중국은 흉폭한 나라다. 주변 나라를 항상 힘들게 하는 나라다. 대국이랍시고 온갖 갑질하며 자기들이 세상의 중심이라고 믿는 나라다. 인민들에게도 그렇게 교육한다. 이런 상태이다 보니 우리가 걱정이다. 정신을 차리고 있어도 힘든 상황인데 술취한 사람마냥 비틀거리고 온통 미쳐돌아가고 있다. 맨정신으로는 못 볼 지경이다. 다산 정약용 선생은 목민심서에서 관리가 술 한 잔이라도 먹고 이야기하는 것은 개소리라고 했다. 언제까지 그 소리를 듣고 살아야 하나?

고대 문헌에 보이는
한국 고대사의 두 가지 체계

역사는 기본적으로 사료에 따라 복원되어야 한다는 것에 학자들은 동의한다. 한국의 주류 사학계에서는 한국 고대사가 고조선→준왕→위만조선→한사군→여러나라(열국)의 순서대로 전개되었다는 데 이의가 없는 것 같다. 사료가 이를 뒷받침하는 것으로 믿고 있다. 그리고 ≪삼국유사(三國遺事)≫ 고조선조가 말하는 한국 고대사 체계와 ≪제왕운기(帝王韻紀)≫가 말하는 체계는 다르지 않을 것으로 믿고 있는 것 같다. 그러나 그렇지 않다. ≪삼국유사≫와 ≪제왕운기≫의 한국 고대사 체계에는 매우 큰 차이가 있다.

≪삼국유사≫ 고조선조에는 기자조선이 단군조선의 중심부에 위치하지 않았고 그 서부에 있었다고 말하고 있다. 이와 달리 ≪제왕운기≫에는 기자조선이 단군조선의 뒤를 이어 그 중심부에 위치했던 것으로 기록되어 있다. 이를 정리하면 한국과 중국의 문헌에서는 완전히 다른 두 가지의 한국 고대사 체계가 확인된다. 하나는 ≪삼국유사≫의 '고조선(단군조선)→

아무도 알려주지 않는 고조선 이야기

열국시대'로 이어지는 체계이고⑴다른 하나는 ≪제왕운기≫의
'고조선(단군조선, 전조선)→기자조선(후조선, 준왕)→위만조
선(위만, 우거)→한사군→열국시대'로 이어지는 체계이다.

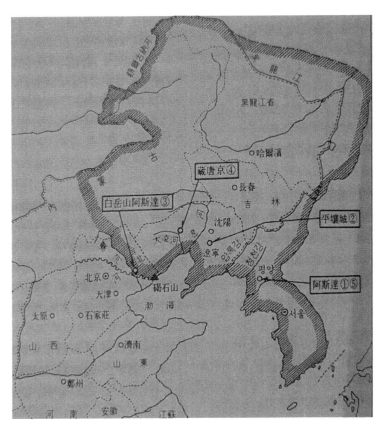

출처:≪고조선연구≫ 고조선의 도읍지 P356

하나의 역사가 같은 시기에 두 가지 형태의 전혀 다른 진행과

정을 거칠 수 없기 때문에 두 가지 체계 가운데 하나는 분명히 잘못되었을 것이다. 그러므로 이를 검토하여 문제점을 밝혀내고 어느 체계가 사실과 부합되는지를 확인할 필요가 있다. 이는 한국 고대사를 바로 세우는 기초 작업이 될 것이다. 편의상 앞의 것을 '≪삼국유사(三國遺事)≫―기본 사례 체계'라 부르고 뒤의 것을 '≪제왕운기(帝王韻記)≫―≪고려사(高麗史)≫ 체계'라 일컫고자 한다. 앞의 체계는 근래에 검증되어 주장된 체계이고, 뒤의 체계는 현재 한국 학계에서 통용되는 한국 고대사 체계의 모체가 된 것이다.

필자는 논의를 전개하는 데 기초 사례에 바탕을 둘 것이다. 고대사를 복원하는 데 우리가 의존할 수 있는 사료라고 믿기 때문이며, 그러한 방법이 불필요한 논쟁을 피하는 길이 되기 때문이다. 추측이나 아전인수식의 사료 해석은 삼갈 것이다. 추측이 반복되는 결론 없는 논쟁을 불러일으키지 않기 위해서이다. 두 가지의 다른 한국 고대사 체계를 확인한 이상 그것을 방치해 둘 수는 없다. 마땅히 검토하고 바로잡아야 한다. 필자는 현재 통용되는 한국 고대사 체계가 잘못되어 있다고 믿고 있지만, 새로운 체계에는 문제점이 없는지 검증을 거칠 필요가 있다고 생각한다. 다시는 지금과 같은 오류가 있어서는 안 되기 때문이다.

아무도 알려주지 않는 고조선 이야기

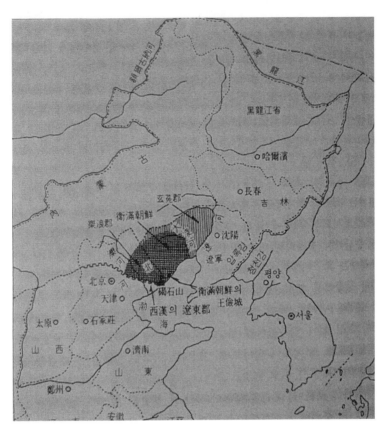

출처:《같은 책》 위만조선과 한사군 위치도. P394

이 글은 결론으로 올바른 한국 고대사 체계를 제시할 뿐만 아니라 고조선의 역사가 매우 오래되었다는 사실도 확인할 것이며 중국인들이 주장하는 동북공정의 논리가 잘못된 것이라는 사실도 입증할 것이다.

(1) 《삼국유사》 - 기본사료 체계

이 체계는 주로 중국 문헌에서 확인되고 한국 문헌으로는 《삼국유사》 고조선조에 보인다. 《삼국유사》 고조선조에는 다음과 같은 기록이 보인다.

《魏書》에 이르기를 지금으로부터 2천 년 전에 壇君 王儉이 있어 도읍을 阿斯達에 정하고 나라를 열고 조선이라 일컬으니 高(堯)와 같은 시대라 하였다. 《古記》에 이르기를⋯⋯ (단군왕검)은 평양성에 도읍하고 비로소 조선이라 칭하였다. 또 도읍을 백악산 아사달로 옮겼는데 또한 이름을 궁홀산이라고 도하고 금미달이라고도 한다. 나라를 다스린 지 1500년 되던 해인 周 武王이 즉위한 기묘년에 기자를 조선에 봉하니 단군은 곧 장당경으로 옮겼다가 뒤에 아사달로 돌아와 은거하다가 산신이 되었다. 수명이 1908년이었다.(2)

기자를 조선에 봉했다(3) 는 것은 자신들을 천하의 중심으로 생각하는 중국인들의 표현이다. 그러나 실제로는 기자는 그의 조국 상(商)나라가 주족(周族)에 의해 멸망하자 그 부끄러움을 참을 수 없어 조선으로 망명했다. 이 점은 《상서대전(尙書大

아무도 알려주지 않는 고조선 이야기

傳)≫ <은전(殷傳)>에 자세하게 기록되어 있다⑷ ≪삼국유사≫
고조선사의 내용에 따르면 고조선은 기자가 고조선에 정착하
기 전에 도읍을 두세 번 옮긴 사실이 있고 기자가 고조선에 정
착한 뒤에도 두 번 도읍을 옮겼다. 주(周)나라는 고조선의 서쪽
에 있었고 기자는 그곳에서 망명해 왔으므로 고조선의 도읍 이
동도 마찬가지였을 것이다. 위 기록은 기자조선은 고조선의 동
쪽에 존재하고 있었다고 말하고 있는 것이다.

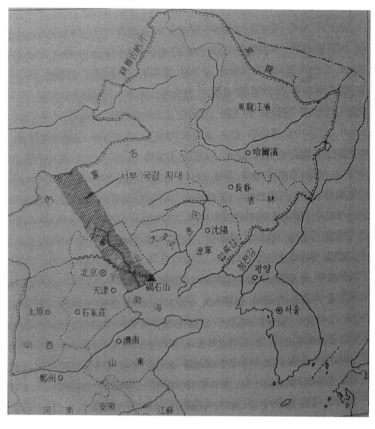

출처:≪같은 책≫ 고조선의 서부 국경지대 P 210

중국 문헌에서는 기자조선이 지금의 하북성(河北省) 창려현(昌黎縣) 난하 유역의 갈석산(碣石山) 부근에 있었다는 사실이 확인된다. ≪한서(漢書)≫ <지리지>와 ≪진서(晉書)≫ <지리지>의 낙랑군 조선현조에는 "조선현은 기자가 봉해졌던 곳"이라

　아무도 알려주지 않는 고조선 이야기

고 설명되어 있다.(5) 옛날 기자조선이 있었던 곳이 훗날 낙랑군의 조선현이 되었다는 것이다. ≪태강지리지(太康地理地)≫, ≪통전(通典)≫ 등에는 "낙랑군(樂浪郡) 수성현(遂城縣)에는 갈석산(碣石山)이 있는데 진장성(秦長城)은 이곳에서 시작되었다"라고 기록되어 있다.(6) 조선현은 수성현과 함께 낙랑군에 속해 있었으므로(7) 갈석산에서 멀지 않은 곳에 있었고 그곳은 국경지대였음을 알 수 있다.

≪사기(史記)≫<진시황본기>에는 B.C. 221년 중국을 통일한 진(秦)나라의 영토를 말하면서 동쪽은 조선과 국경을 접하였는 데 그곳을 요동이라 부른다고 하였다.(8) 그리고 2세 황제 때에 대신들이 갈석산에 다녀온 일이 있는데 그것을 "요동에 다녀왔다"고 기록하였다.(9) 이것은 갈석산 지역이 고대의 요동이었으며 국경 지역이었음을 알게 한다. 그러므로 기자조선과 고대 요동의 위치를 알기 위해서는 갈석산의 위치를 찾아 낼 필요가 있다.

기자조선이 난하 유역에 있었음을 알게 하는 보다 더 분명한 기록이 ≪대명일통지(大明一統志)≫에 보인다. ≪대명일통지≫ <영평부(永平府)> 고적(古蹟)조에는 "조선성(朝鮮城)이

영평부 경내에 있는데 전해오기를 기자가 봉함을 받았던 땅이라고 한다"라고 기록되어 있다. 명(明) 시대의 영평부는 난하 유역에 있었다. 위에 소개된 자료들은 기자조선이 지금의 요서 지역인 난하 유역에 있었고, 뒤에 설치된 한사군의 낙랑군 조선현도 그곳에 있었으며 위만조선도 같은 곳에 있었음을 알게 해준다. 위만조선은 기자의 후손인 준왕의 정권을 빼앗아 건국되었고(10) 한사군은 서한 무제가 위만조선을 멸망시키고 그 지역에 설치했기 때문에 이들은 같은 지역에 있었던 것이다. 이러한 사실과 앞에 소개한 ≪삼국유사≫ 고조선조의 내용을 종합해보면, 고조선 영역은 원래 난하 유역까지였으나 지금의 요서지역에 기자조선, 위만조선, 한사군 등이 등장한 시기에는 이들의 동쪽 지역만을 차지하고 있게 되었을 것이다.

아무도 알려주지 않는 고조선 이야기

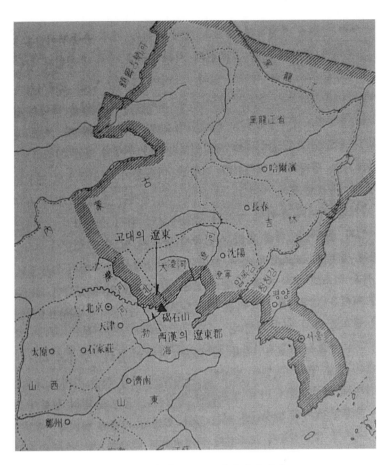

출처:≪고조선 연구≫ 고조선 후기의 강역도

이를 뒷받침하는 기록이 ≪후한서(後漢書)≫ <동이열전(東夷
列傳)> 예전(濊傳)에 보인다. 거기에는 "예 및 옥저, 고구려는
본래 모두 조선의 땅이었다"라는 기록이 있다. 동한 시대에 예
는 강원도 지역을, 옥저는 함경남북도 지역을, 고구려는 압록

강 남북 유역과 요동 지역을 차지하고 있었다. 이 지역이 모두 조선의 영토였다는 것이다. ≪삼국사기≫에 따르면 고구려는 B.C. 37년에 건국되었으므로 그 이전의 상황을 말하고 있는 것이다.(12) 이 시기는 한사군이 설치되어 있던 때이다. 그러므로 이 시기에 지금의 요서 지역에는 한사군이 있었고 요동 지역에는 고조선이 있었음을 알 수 있다.

기자가 서주로부터 망명한 시기는 서주 초로서 B.C.12세기 무렵이었으므로 고조선은 그보다 훨씬 전부터 존재했음을 알 수 있는 것이다. 그런데 어떤 이유로 ≪시경≫ <한혁편>과 ≪잠부론≫에서는 고조선을 '조선'이라 하지 않고 '한'이라 하였고 통치자를 '단군'이라 하지 않고 '한후(韓侯)'라 했을까. 세 가지 가능성을 생각해 볼 수 있다. 첫째는 국명으로 '한'과 '조선'이 혼용되었을 가능성이고, 둘째는 국명이 초기에는 '한'이었다가 뒤에 '조선'으로 바뀌었을 가능성이며, 셋째는 처음부터 국명은 '조선'이었는데 ≪시경≫ <한혁편>과 ≪잠부론≫의 저자들이 통치자에 대한 칭호인 '한'을 국명으로 표기했을 가능성이다.

여기서 관심을 갖게 하는 것은 ≪잠부론≫에서는 원래 있었던 한나라뿐만 아니라 기자조선도 '한'이라 부르고 있다는 점이

아무도 알려주지 않는 고조선 이야기

다. 동북아시아 고대 언어에서 '한'은 통치자에 대한 칭호였다. 이러한 칭호가 국호처럼 사용되기도 했던 것으로 보인다. 여기에 제후를 뜻하는 '후(侯)'자를 결합시켜 '한후(韓侯)'라는 중국식 칭호도 만들어 사용했던 것이다. 이러한 점 등으로 미루어 보아 연나라 동쪽에 있었던 원래의 한은 고조선이었는데 '한'이라고도 불렸다고 보아도 무리가 없을 것이다. 여기서 생각해 보아야 할 것은 조선이라는 국명은 한자 명칭으로서 그 이전에는 순수한 한민족 언어의 국명이 사용되었을 가능성이다.

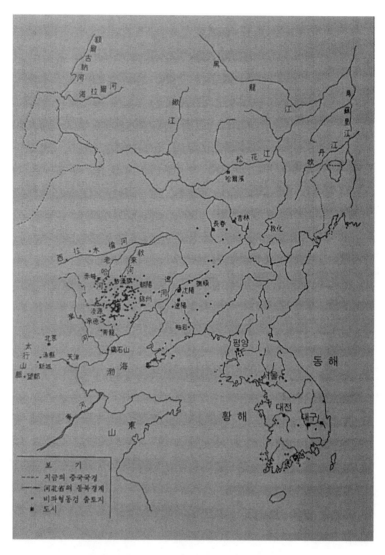

출처:≪같은 책≫ 비파향동검 출토지 지도 P278

지금까지 살펴본 바를 정리하면 ≪삼국유사≫와 중국 기록에

아무도 알려주지 않는 고조선 이야기

나타난 한국 고대사 체계는 고조선이 한반도와 요동. 요서 지역을 활동 무대로 하여 계속 존재하다가 중앙의 통치력이 약화되자 여러 나라로 분열되어 열국시대가 출현한 것이 된다. 그리고 기자조선· 위만조선· 한사군 등은 고조선의 중심부에 일어난 사건들이 아니라 고조선의 서부 변경(邊境) 지대, 즉 지금의 요서 지역에서 일어난 사건들로서 이들은 한국사의 주류가 될 수 없는 것이다.(≪고조선연구≫고조선학회 제1호(논문).2008.지식산업사.) 발췌인용.P82~107)

주) 1).≪삼국유사≫의 서술 차례를 보면 고조선조 다음에 위만조선조가 자리하고 있으므로 ≪삼국유사≫의 고대사 체계를 고조선에서 위만조선으로 이어지는 체계로 보아야 할 것으로 생각할 수 있다. 그러나 고조선조와 위만고조선조에는 고조선과 위만조선의 관계 및 지리적 위치에 대해서는 아무런 언급이 없고 위만조선조의 내용은 ≪한서≫ <조선전>의 내용을 옮겨 싣고 있을 뿐이다. 그런데 ≪위략≫, ≪후한서≫ <동이열전> 예전, ≪삼국지≫ <오환선비동이전> 예전 등에 위만조선은 기자조선의 정권을 빼앗아 건국된 것으로 기록되어 있으므로 위만조선은 기자조선이 있었던 고조선의 서부 변경에 위치해 있었다고 보아야 한다.

2).흔히 고조선은 건국한 지 1500년 만에 끝이 나고 기자조선이 시작된 것으로 해석하지만 원문은 그렇지 않다. 고조선의 수명이 1908년이었다고 기록하고 있다.

3).≪사기≫, <송미자세가>에는 주 무왕이 기자를 조선에 봉했다고 하였다.

4).≪상서대전≫, <은전>, 홍범조에 기자는 그의 주국 상나라가 주족에 의해 멸망 당하자 그 부끄러움을 참을 수 없어 조선으로 도망하였는데 주 무왕은 그 소식을 듣고 기자를 그곳에 봉했다고 기록되어 있다. 이로 보아 기자는 주 무왕의 봉함을 받아 조선으로 간 것이 아니라 스스로 망명하였음을 알 수 있다.

5).≪한서≫, <지리지>와 <진서>, <지리지>의 '조선현'에는 기자가 봉해졌던 곳이라는 동일한 내용의 주석이 달려 있다. 이로 보아 한시대로부터 晉(진) 시대에 이르기까지 조선현의 위치는 동일했음을 알 수 있다.

6). 진장성의 동쪽 끝이 갈석산 지역이었음은 여러 문헌에서 확인된다.

7).≪한서≫, <지리지>, 낙랑군조.

8).≪사기≫, 진시황본기, 진시황 26年條

9).진2세황제는 조고, 이기 등을 대동하고 동부지역을 순행하였는데 순행이 끝난 뒤 대신들은 진시황의 공덕을 진시황의 비석에 새기기 위해 갈석을 다녀왔다. 이 사실을 요동에 다녀왔다고 기록하였다.(윤내현, <고조선의 강역과국경>, ≪고조선 연구≫, 일지사,2004, 175쪽)

10).≪삼국지≫,<오환선비동이전>, 한전의 주석으로 달린 ≪위략≫

11).≪사기≫, <조선열전≫: ≪한서≫, <조선전> 및 <지리지>.

아무도 알려주지 않는 고조선 이야기

12). 이 조선이 언제부터 존재하였는지는 이 기록만으로는 알 수 없다. 그러나 다음 기록들을 통해 이 조선은 고조선임을 알 수 있다.

(2) ≪제왕운기≫-≪고려사≫체계

≪제왕운기≫, ≪세종실록(世宗實綠) ≫ <지리지>, ≪고려사≫ <지리지> 에는 위의 체계와는 전혀 다른 한국 고대사 체계가 실려 있다. 오늘날 통용되는 한국 고대사 체계는 ≪제왕운기≫ 의 기록에 뿌리를 두고 있는 것이다. ≪제왕운기≫는 한국사의 시작을 고조선(단군조선)부터 잡고 있는데, 이점은 ≪삼국유사≫ 와 같다. 그러나 고조선과 기자조선의 관계와 이에 따른 한국 고대사 체계는 ≪삼국유사≫와 전혀 다르게 말하고 있다.

≪제왕운기≫에는 고조선이 망한 후 164년이 지나 서주 무왕(武王) 원년 기묘년에 기자가 서주로부터 고조선이 있었던 지역 으로 망명해 와서 스스로 나라를 세우니 그것을 후조선이라 한 다고 하였다.(≪제왕운기≫,<후조선기>) 기자조선은 고조선이 망한 뒤 그 지역에 세워졌다는 것이다. 그리고 기자의 41세 후 손인 준왕은 위만에게 나라를 빼앗겨 기자조선은 928년 만에 망하였다고 하였다.

아무도 알려주지 않는 고조선 이야기

출처:≪아 그렇구나 우리 역사≫송호정. 고조선의 영역이 지금의 평안도
지역에 한정되어 있다.≪엉터리 사학자 가짜 고대사≫p185 재인용

위만은 서한의 연나라에서 태어나 서한 고조(高組) 12년에 준
왕의 정권을 빼앗아 위만조선을 세웠는데 나라를 세운지 88년

이 되던 손자 우거(右渠) 때에 서한 무제(武帝)의 침략을 받아 멸망하였고, 그곳에는 한사군(漢四郡) 즉 낙랑군.진번군. 임둔군. 현도군이 설치되었다 고 하였다. 그리고 한사군의 뒤를 이어 부여(扶餘), 비류(沸流), 시라(尸羅), 고례(高禮), 남북옥저(南北沃沮), 예(穢), 맥(貊) 등의 열국이 성립되었다고 하였다.≪제왕운기≫,<한사군급열국지> 이를 도식화하면 전조선(고조선, 단군조선)→후조선(기자조선, 준왕정권)→위만조선(위만, 우거)→한사군→열국시대의 순서가 된다. 이러한 한국 고대사 체계는 ≪세종실록≫ <지리지>와 ≪고려사≫ <지리지>로 이어졌다. ≪세종실록≫ <지리지> 평양부(平壤府)조에는 다음과 같은 기록이 있다.

아무도 알려주지 않는 고조선 이야기

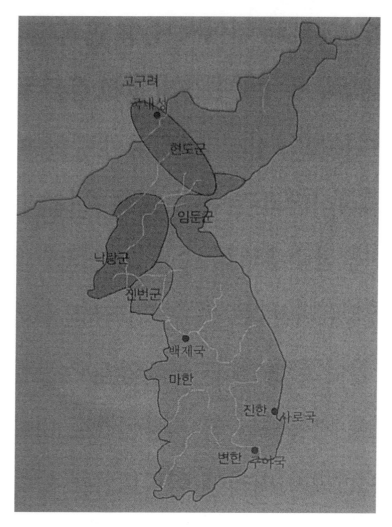

출처:《아 그렇구나 우리 역사》송호정. 고조선이 망한후 한사군의 위치를 송호정 입장에서 그린 것이다. 《엉터리 사학자 가짜 고대사》p185

평양부는 본래 三朝鮮의 옛 도읍으로서 唐堯 무진년에 神人이

檀木 아래로 내려오니 나라 사람들이 세워 군주로 삼아 평양에 도읍하고 칭호를 단군이라 하니 이것이 前朝鮮이다. 주나라 武王이 商나라를 이기고 箕子를 이곳에 봉하니 이것이 後朝鮮이다. 41대 손자 準 때에 이르러 燕지역 사람 衛滿의 망명이 있었는데 1천 명의 무리를 만들어 와서 준의 땅을 빼앗고 왕검성에 도읍하니 이것이 위만조선이다. 그 손자 우거는 황제의 명령을 받들지 않으므로 한나라 무제는 元封 2년에 장수를 보내어 그를 토벌하고 평정하여 진번, 임둔, 낙랑, 현도 4개의 군을 만들었다.(중략)

단군조선을 전조선, 기자조선을 후조선이라 부르고 이들과 위만조선을 합하여 삼조선이라 하였는데 지금의 평양이 이들의 도읍지였다는 것이다. 위만조선이 망하고 설치된 한사군도 평양 지역에 있었다고 말하고 있다. 이를 도식화하면 전조선(고조선, 단군조선)→후조선(기자조선, 준왕)→위만조선(위만, 우거)→한사군→열국시대의 체계가 된다. 이러한 한국 고대사 체계는 이후 한국 학계의 통설로 자리를 잡았다. 다만 ≪제왕운기≫에서는 그 서두에 고조선의 지리에 대해 말하기를 요동에는 중국과 다른 세계가 있다고 하여 그 영역을 요동까지포함시켜 인식하고 있었던 것으로 보인다.

아무도 알려주지 않는 고조선 이야기

오늘날 통용되는 한국 고대사 체계는 단군조선→준왕→위만조선(위만,우거)→한사군→열국시대의 체계로서 기본적으로는 앞에 소개된 체계와 같다. 다만 기자조선의 존재가 부인되고 있다. 기자조선이 있었던 자리를 준왕이 대신하고 있다. 기자는 ≪사기≫ <宋微子世家> 에는 서주(西周) 초이다. 주나라 무왕에 의해 조선에 봉해졌다고 했고, ≪상서대전≫ <은전>에는 그의 조국 상나라가 주족에 의해 멸망되자 치욕을 참을 수 없어 조선으로 망명하였다고 기록되어 있는 인물이다.(≪상서대전≫, <은전>의 내용이 사실에 가까울 것이다)

준왕에 대해서는 ≪위략≫, ≪후한서≫ <동이열전>, ≪삼국지≫ <오환선비동이전> 등에 기자의 40여세 후손으로서 위만에게 정권을 빼앗긴 인물로 기록되어 있다. 그리고 ≪사기≫ <조선열전>, ≪한서≫의 <조선전>과 <지리지>에는 서한 무제가 위만조선을 멸망시키고 그곳을 4개의 군으로 만들었다고 기록되어 있다. 그러므로 이러한 기록을 따른다면 기자조선, 위만조선, 한사군은 같은 곳에 있었다. 중국 고대 문헌에서 고조선에 관한 구체적인 기록은 찾아볼 수 없지만 기자가 이주했던 곳은 조선이었다고 말하고 있다. 기자의 망명시기는 상(商)·주(周) 교체계로서 B.C.12세기 무렵이다. 그러므로 고조선은 이전부터 존재했던 것이다.

근세 조선시대까지의 한국 문헌에는 고조선의 뒤를 이어 기자조선이 있었던 것으로 체계화되어 있었다. 근세조선 후기에는 고조선보다 기자조선의 중요성이 더 강조되는 경향이 있었다. 그러나 일제 강점기 이후 기자조선이 부인되었다.(기자가 조선에 왔다는 이른바 '기자동래설'을 일찍부터 부인한 것은 일본인들이었다. 금서룡(이마니시 류) 등이다. 특히 금서룡은 1922년 ≪지나학≫2권 10호와 11호에 <기자조선전세고>를 발표하여 본격적으로 기자동래설을 부인하였다. 한국 학자들은 이를 받아들였다) 그 옛날 기자가 황하 유역으로부터 멀리 한반도까지 왔다는 것은 있을 수 없는 일이라는 것이다. 예로부터 중국인들은 주변 민족의 역사를 중국의 지류로 보는 경향이 있는데 기자도 그러한 의도에서 중국인들이 꾸며낸 전설일 것으로 보았다.

이렇게 되어 기자조선이 있었던 기간을 한씨조선이라 부르자는 견해(이병도에 의해 주장되었는데 준왕이 위만에 의해 쫓겨난 뒤 그곳에 남아있던 준왕의 일족들은 성을 한이라 했다는 기록에 따른 것이다)와 예맥조선이라 부르자는 견해(김정배에 의해 제안되었는데 한민족의 주류는 예맥족일 것이라는 전제에서 주장되었다)도 제출되었다. 준왕을 기자의 후손이 아니라 한씨조선이나 예맥조선의 왕으로 보면 된다는 것이다. 그 결과 한국 고대사는 현재 통용되는단군조선(고조선)→준왕(한씨조선 또는 예맥조선)→위만조선→한사군→열국시대의 순서대로 체계화되었다.

아무도 알려주지 않는 고조선 이야기

그러나 중국인들은 기자조선을 부인하지 않는다. 기자조선은 기본사료에 나타난 것이므로 역사적 사실로 인정해야 한다고 주장한다. 그들은 오히려 단군조선을 부인하고 한국의 역사는 중국인이 세운 기자조선부터 시작되었다고 말한다.

지금까지 저자는 한국 문헌과 중국문헌에 나타난 두 가지의 다른 한국 고대사 체계, 즉 '≪삼국유사≫—기본사료 체계'와 '≪제왕운기≫— ≪고려사≫ 체계'를 검토하였다. 그 결과 중국 문헌의 기록에 따라 재구성한 '≪삼국유사≫—기본사료 체계'가 신빙성이 있음을 알 수 있었다. '≪삼국유사≫—기본사료 체계'는 고조선의 영역은 한반도와 요동, 요서의 만주를 포괄하고 있었으며, 단군 왕검이 세운 고조선이 오랫동안 존속하다가 고조선의 분열로 열국시대가 등장한 것이 된다. 여러 나라는 모두 한민족의 나라였다. 그리고 기자조선(또는 준왕정권)·위만조선·한사군은 지금의 요서, 즉 고조선의 서부 변경에서 일어났던 사건들로서 한국사의 주류가 아니었다. 이 체계는 기본사료에 따라 재구성한 것이다.

기자가 고조선 서부 변경으로 이주했다는 것은 고조선이 그 전부터 존재했음을 말해준다. ≪잠부론≫에서 연나라 동쪽에 있었던 원래의 한나라(고조선)는 그 서쪽에 한나라(기자조선)가 출현하기 전부터 존재했다고 설명한 것은 고조선의 역사가 매우 오래 되었음을 알게 해준다. 기자의 망명 시기는 서주 초로서 B.C. 12세기 무렵으로 추정되므로 고조선은 그 이전부터 존재했다는 것이 된다. 지금까지 한국 학계에서는 '≪제왕운기≫—≪고려사≫ 체계'를 모체로한 고대사 체계를 따르고 있다. 고조선의 영역은 한반도 북부로 되어 있고 한국 고대사는 고조선의 뒤를 이어 기자조선(또는 준왕정권), 위만조선, 한사군, 열국시대의 순서로 전개되었던 것으로 되어 있다. 이 체계는 잘못된 것임이 확인되었다.

지금 한국 학자들은 잘못된 한국 고대사 체계리지린인 고조선→준왕→위만조선(위만,우거)→한사군→열국시대의 체계를 가지고 씨름하고 있다. 예컨대 기자조선의 존재를 부인한다거나 위만을 서한에 거주하던 조선족일 것으로 보는 등의 주장*이 그것인데 한국 고대사 체계를 '≪삼국유사≫—기본사례 체계'로 바로 잡으면 이러한 문제에 더 이상 매달리지 않아도 된다. 한국 학자들이 이러한 주장을 하게 된 것은 한민족이 중국 망명인의 지배를 받았다거나 한국사는 중국사의 연장으로 보아야 한다는 등의 중국인들의 주장을 거부하기 위한 것이다.

　　　　　　　아무도 알려주지 않는 고조선 이야기

그런데 이러한 논쟁은 사료를 자의적으로 해석한 것이어서 결론 없는 논쟁으로 계속 이어져 시간만 낭비하게 될 것이다.

지난날 일본인들의 단국조선과 기자조선을 부인함으로써 한국의 역사를 실제보다 짧게 왜곡한 것이라든가 한국의 역사를 중국사의 일부로 보는 중국인들의 동북공정의 논리는 기자조선, 위만조선, 한사군 등이 한국사의 주류였다는 전제 위에서 주장된 것이다. 이들이 고조선의 서부 변경에서 일어난 사건으로서 한국 역사의 주류가 아니었다면 그러한 주장들은 근거를 잃게 되는 것이다. 이러한 점에서 한국 고대사 체계는 하루 빨리 재검토를 통해 수정될 필요가 있다.(<고조선연구> 윤내현(논문). p95~107) 참조.

*위만을 조선계로 보는 견해는 이병도에 의해 제출되었다. ≪사기≫ <조선열전>에 따르면 위만은 망명시에 만이복 (≪위략≫에는 호복이라 하였음)을 입고 북상투를 틀었다고 했는데, 만이복은 아마도 조선옷이었을 것이며 북상투는 조선의 풍속이며 위만이 자신이 세운 나라의 국호를 조선이라 한 점 등으로 보아 위만은 서한의 연 지역에 거주하던 조선계였을 것으로 보았다. 그러나 이에 대한 반론도 만만치 않다. 만이복 또는 호복이 조선옷이라는 확증이 없고 북상투는 ≪사기≫ <남

월열전>에 따르면 남월에도 같은 풍속이 있었다. 그리고 조선이라는 국명은 기자조선의 정권을 빼앗았으므로 조선이라는 국명을 계승한 것으로 볼 수 있다는 것이다. 이렇게 본다면 위의 것들은 위만이 중국에 거주하던 조선계라는 근거가 되기 어려울 것이다. 특히 중국인들은 한국 학자들이 사료를 아전인수식으로 해석하고 있다고 반박한다.

아무도 알려주지 않는 고조선 이야기

최첨단 기술이 빛의 속도로 발전하는 세상에서 왜 4300년 전의 고리타분한 이야기를 붙잡고 이야기하는가라고 반문하는 사람이 있을 거라 본다. 큰 巨木도 뿌리가 튼튼하고 깊게 뿌리박혀 있기 때문에 그 위용을 자랑하고 있는 것이다. 작은 대한민국이 강대국의 틈바구니에서 5000년의 역사를 자랑하며 세상에 대해 포효를 할 수 있는 것도 많은 시련을 겪은 역사였지만 강인한 정신과 불굴의 투쟁심으로 우리 선조들이 이 나라를 목숨 바쳐 지켜내며 특히 韓 민족의 고유한 언어와 전통문화를 잃지 않고 버텨 온 결과였다.

훌륭한 대한민국을 한 점 부끄러움이 없이 그대로 후손에게 계승시키려면 우리 고유한 문화와 전통을 잘 지키고 보전하여 우리의 뿌리를 잊지 않게 교육하고 전승하는 길이 우리의 책무이고 의무이다. 지난 역사를 보면 한때는 세계를 호령하던 제국도 지금은 흔적만 남긴 채 역사 속으로 사라진 나라들이 있다. 이는 자기들의 고유한 언어와 문화를 상실하고 남의 것을 모방하고 따라 하다 멸망해버린 것이다. 이는 자기의 고유한 정체성을 잃어버린 결과였다. 우리는 이를 반면교사 삼아 정체성을 지키고 민족 사상을 발전시키는 데 온 힘을 기울여야 하겠다.

그러나 불행하게도 우리 민족은 근세 조선말에 일제의 식민 지배를 받으며 고대사는 물론이고 조선의 역사까지 왜곡·조작·날조되는 수모를 겪으며 고초를 겪기도 했다. 이로 인해 현재까지도 친일파나 친일 부역자들이 한국 사회를 지배하는 어처구니없는 상황에 이르렀다. 고통스럽고 치욕스러운 일이지만 이 난제를 풀기 위해서는 우리 국민 모두가 깨어있는 시민이 되어 이 땅에 다시는 매국노 세력들이 발흥하지 못하도록 올바른 한민족의 역사관을 정립하여야겠다.

고조선史를 쓰면서 책 참조가 어려웠는데 다행히도 훌륭하신 윤내현 선생의 책을 만나 그분의 책을 많이 참조하여 썼다는 점을 말하고 싶다. 시중의 서점이나 인터넷으로 고조선 관련 책을 검색하면 안타깝게도 대부분 식민사관에 젖은 식민사학자들이 쓴 책이 다수를 점하고 있었다. 청소년, 시민들에게 역사 공부를 가르치는 데에 많은 고충이 있을 것이라는 생각과 이를 어떻게 극복할지 걱정이 앞섰다. 역사를 잊은 민족에게는 미래가 없듯이 오래된 역사는 과거가 아니라 현재이기 때문에 지난 역사를 공부하는 데 특히 고조선 역사를 소홀하면 안 될 것이다.

한국사에서 고조선(단군조선)은 시련과 고초를 많이 겪었다. 그것은 한민족의 시련과 궤를 같이하고 있다. 고조선은 한민족의 의식에 깊이 자리하고 있었지만, 중국의 영향을 받아 유교의 질서를 선택했던 근세조선시대에 들어와 고조선에 대한 의식이 약화되기 시작했다. 그 후 日帝는 고조선은 물론 한국 고대사를 말살하기에 이르렀다. 광복 후에도 일제의 영향에서 벗어나지 못해 고조선에 대한 연구는 발전하지 못하고 정체는 물론 퇴보까지 이르렀다. 한민족에게는 불행한 일이 아닐 수 없다.

자신들의 역사를 바로 알지 못하고 어떻게 문화민족이라고 할 수 있겠는가. 한민족 문화의 원형은 한국의 고대사회 특히 고조선에 있는 데, 그것을 바르게 알지 못한다면 한민족의 正體를 바르게 인식할 수 없을 것이다. 그러므로 고조선의 역사는 왜곡되어서도 안되고 가볍게 다뤄서도 안된다. 이는 일제가 지난날 한민족의 민족의식을 말살하기 위해 고조선의 실체를 부인하며 한국사를 왜곡했던 것과 뭐가 다른가 말이다. 이제는 한민족의 민족 철학을 정립하고 주체의식을 갖는 것이다. 주체의식이 없다는 것은 뿌리 없는 나무와 같은 일이기 때문이다. 작은 바람에도 넘어지는 위험한 일을 겪는 일이 다시는 일어나지 않으려면 확고한 주체의식과 역사관을 가지는 것만이 우리의 살길이라고 봐도 무방하겠다.

이 책이 나오기까지 많은 부침이 있었지만 윤내현 선생의 책을 만나게 된 게 나에게는 큰 행운이었고, 참조한 다른 도서의 저자 분들에게도 감사의 말을 전하고 싶다. 그분들이 아니었으면 식민의 바다에서 나오지 못하고 허우적대고 있었을 것이다. 좋은 책은 아닐지 몰라도 식민사관에 물들지 않은 질 좋은 책이라고는 말하고 싶다. 일본에 물질적, 정신적으로 이기기 위해서는 한민족의 가치관이 뚜렷할 때에만이 가능한 일이다. 이는 한민족의 역사에서 찾아야 할 것이다. 그 원형은 고조선에 있다. 고조선은 단순한 한국사의 뿌리로서만이 아니라 한민족에게는 현실적으로도 매우 중요한 의미를 갖는다.

이 책이 나오기까지는 역시 아내의 도움이 컸다. 아내에게 고맙다는 말을 전하고 싶고, 언제나 아빠를 응원해 주는 사랑스러운 딸에게도 고맙다고 말하고 싶다. 항상 부족함을 느끼며 부족함의 갈증을 해소하기 위해 오늘도 묵묵히 精進 하려 한다.

부여 남면 小山書林에서 2024년 1월
한기덕

참고도서

《왜 지금 고조선문명인가》신용하外 4인.2019. 나남.

《한국 고대사》윤내현. 2021. 만권당.

《과학으로 찾은 고조선》 이종호. 2008. 글로연.

《새로운 한국사》 윤내현외. 2005.집문당.

《단군사화 연구》이재원. 2012. 보성.

《고조선, 우리 역사의 탄생》 윤내현. 2016. 만권당.

《고조선 우리의 미래가 보인다》 윤내현. 1996. 민음사.

《일본인들의 단군 연구》신종원 엮음. 2009. 민속원.

《난징 대학살》 아이리스 장. 1999. 끌리오.

《고조선 연구》윤내현. 2004. 일지사.

《고조선의 강역을 밝힌다》윤내현. 2012. 지식산업사.

《사료로 보는 우리 고대사》 윤내현. 2013. 지식산업사.

《고조선·단군·부여》동북아역사재단. 2008.

《리지린의 고조선 연구》리지린. 2018.말.

아무도 알려주지 않는 고조선 이야기

《고조선 사라진 역사》성삼제. 2005. 동아일보사.

《고조선과 21세기》김상태. 2021. 글로벌콘텐츠.

《한국 고대사 신론》윤내현. 2017. 만권당.

《세상을 바꾼 다섯가지 상품 이야기》홍익희. 2015. 행성비.

《한국사가 죽어야 나라가 산다》이주한. 2013. 위즈덤하우스.

《한민족의 뿌리와 단군조선사》김영주. 2004. 대원출판.

《고대에도 한류가 있다》임재해외. 2007. 지식산업사.

《별자리, 인류의 이야기 주머니》문재현,문현뫼. 2민017. 살림터.

《우리고대사 상상에서 현실로》윤내현. 2003. 지식산업사.

《한민족이 주도한 고대 일본문화》권태명. 2012. 시대정신.

《식민사학이 지배하는 한국고대사》이희진. 2014. 책미래.

《한사군은 중국에 있었다》문성재. 2016. 우리역사연구재단.

《엉터리 사학자 가짜고대사》김상태. 2013. 책보세.

《민족인가, 국가인가?》이종욱. 2009. 소나무.

《한국고대사를 생각한다》최태형.2002. 눈빛.

《만주의 역사와 간도 문제》김득황. 2005. 남경기획출판.

《국가의 사기》우석훈. 2018. 김영사.

아무도 알려주지 않는 고조선 이야기

대한민국의 원형 고조선의 진실을 말한다

발행일 | 2024년 6월 7일

지은이 | 한기덕
펴낸이 | 마형민
기　획 | 강채영
편　집 | 김재민
펴낸곳 | (주)페스트북
주　소 | 경기도 안양시 안양판교로 20
홈페이지 | festbook.co.kr

* (주)페스트북은 '작가중심주의'를 고수합니다. 누구나 인생의 새로운 챕터를 쓰도록 돕습니다. Creative@festbook.co.kr로 자신만의 목소리를 보내주세요.